어떤 수학 선생님이 되고 싶으세요?

라는 질문에 수학 선생님들의 답은 비슷합니다. 학생들이 수학을 즐겁게 여기도록 만들고 싶고, 수학적 사고력을 키워 일상생활에서 도움이 되길 바랍니다. 하지만 현실은 '수포자'라는 단어가 익숙하고, 학생들에게 듣는 '수학 왜 배워요?'와 같은 질문이 상처로 다가옵니다.

사실 배우는 것은 원래 즐거운 일입니다. 호기심 가득하고, 뭐든 하고 싶어 했던 어린 아이를 보면 교사로서, 어른으로서 마음의 짐을 갖게 됩니다. 배우길 즐거워하던 본성을 우리가 지워버렸다는 죄책감과 함께 어떻게 하면 다시 회복시킬 수 있을지에 대한 고민을 갖게 됩니다. 이 책은 그러한 과정에 있습니다. 학생들에게 호기심을 유발하고, 궁금증을 해결하기 위해 배울 수 있도록 수업을 구성하려고 노력합니다.

그러기 위해서 교사는 교과서의 내용을 왜 배우는지 깊이 성찰해 보아야 합니다. 지금껏 우리는 교과서에 제시된 내용을 제시된 방법으로 제시된 순서에 맞추어 수업해 왔습니다. 하지만 이러한 구성은 배움에 있어 너무나 자연스럽지 못합니다. 학생 입장에선 배움에 대한 동기가 유발될 수 없는 구조입니다. 교과서의 각 단원(혹은 여러 단원)을 학생들이 학습해야 하는 이유에 대해 교사는 자기 나름의 답을 가져야 합니다. 이 답이 교사가 학생들에게 바라는 수업 목표가 될 것입니다.

수업목표는 기존의 학습목표나 성취기준과 다릅니다. 학생들의 배움의 즐거움을 회복하기 위해서 이번 단원의 역할을 부여하는 일입니다. 단순히 암기와 문제 풀이를 잘하게 만드는 것이 아닌 학생들이 진짜 수학적 사고를 경험하고 그 의미를 충분히 음미하게 만들기 위해 필요한 수업의 나침반입니다.

방향 설정이 잘 되었다면 학생들이 학습할 내용 요소를 살펴볼 필요가 있습니다. 이는 성취기준에 드러나고 있습니다. 하지만 성취기준은 자신이 세운 수업목표에 비추어 해석되어야만 합니다. 자주 등장하는 '이해하는', '할 수 있다.' 등의 표현이 자신의 수업목표에 비추어 어떤 의미인지 성찰하고, 자신의 수업목표에 어울리는 성취기준은 어떤 것인지 고민해야 합니다.

이렇게 새로운 성취기준을 만족시키는 수업을 우리는 재창조해야 합니다. 이 책에서 제시하는 내용은 하나의 예시일 뿐입니다. 제가 생각하는 목표와 저의 사고 흐름에 따라 제작된 자료이며, 이를 토대로 선생님들도 제대로 교육과정을 고민하고 수업을 새롭게 창조하는 과정을 함께 경험하게 되길 바랍니다.

이러한 과정을 통해 학생들에게 의미 있는 수학적 사고를 경험시키고, 그 과정에서 학생들이 수학하는 즐거움을 얻고, 선생님들도 행복하게 되길 바랍니다.

글쓴이 박진환
e-mail : hwanys2@naver.com
WebSite : https://foreducator.com

수학하는 즐거움
중학교 3학년

수학하는 즐거움을 통해
학생들에게 배움의 즐거움을
선사해 보세요.

Contents

1 / 실수와 그 연산

※ 수업의 목표와 흐름

1. 제곱근의 정의

2. 제곱근의 연산

CHAPTER

1

새로운 수를 발견하는 경험을 제공하라.

학생들이 가지는 수 체계가 유리수에서 실수로 확장되는 단원입니다. 이를 위해 일반적인 교과서의 시작은 제곱근을 정의하는 것에서 시작하여 근호가 포함된 수가 무리수임을 확인하고 실수로 확장하게 됩니다. 하지만 이러한 진술 방식은 학생들의 입장에서는 자연스럽지 못합니다. 제곱근을 사용해야 할 이유도 모른 채 새로운 수를 맞이하게 되고, 기호가 포함된 수를 조작하기 위한 연산 방식을 암기하고, 예제 문제를 따라 문제를 해결하며 연산을 무수히 반복시키며 근호가 포함된 식을 계산할 수 있게 만듭니다.

이러한 방식으로는 학생들이 수학의 즐거움을 느낄 수 없습니다. 학생들이 스스로 새로운 수를 발견하고, 발견된 수의 특별한 성질을 확인하며, 새롭게 정의할 필요성을 느끼는, 창조의 즐거움을 제공하는 수업이 필요합니다.

이러한 목표가 달성될 수 있을지 다음에 나오는 학습 자료를 주의 깊게 살펴보시고, 실제 수업 시간에도 적용해 보시길 바랍니다.

1 수업목표

학생들이 가지고 있던 기존의 수 체계에 없는 새로운 수가 등장하는 단원입니다. 새로운 수를 발견하고 새로운 수 체계로 확장해야 할 필요성과 확장할 때 유용함을 느끼게 하는 것이 목표입니다. 따라서 학생들은 스스로 새로운 수의 존재에 대해 인식할 수 있게 해야 하며, 이렇게 발견된 수를 기존의 수 체계를 바탕으로 유용하게 사용할 수 있는 방법을 스스로 고민해볼 시간을 가져야 합니다.

2 핵심경험

• 새로운 수를 발견하는 경험과 발견의 과정에서 표현상의 어려움을 인식하여 새로운 표현 방법이 필요함을 인식하는 경험.
• 근호를 사용한 표현의 유용함을 확인하고, 제곱근의 연산 방법에 대한 합리적 결론을 내려보는 경험.

3 성취기준 재해석을 통한 학생 경험 찾기

[9수01-07] 제곱근의 뜻을 알고, 그 성질을 이해한다.
[9수01-08] 무리수의 개념을 이해한다.
[성취기준 재해석] 제곱근의 뜻을 알고 무리수의 개념을 이해한다는 것은 새로운 수의 발견을 경험하는 것과 직접 발견한 수를 도입하는 경험을 통해 가능하다고 생각합니다. 예를 들어, 학생들은 제곱해서 2가 되는 수의 존재성을 직접 활동을 통해 확인하고, 이렇게 발견된 수가 지금까지 우리가 알고 있던 유리수 체계 내에서는 존재하지 않는다는 것을 깨달아야 합니다. 이러한 과정에서 새로운 수 체계를 정의할 필요성을 느끼고, 제곱근을 이용한 표현의 유용함을 경험해야 합니다. 기존의 교육과정처럼 제곱근의 정의를 먼저 제공하는 것이 아닌 학생들이 발견하는 과정을 통해서 학생들은 제곱근을 스스로 정의하고, 그에 따른 다양한 성질을 주입하지 않아도 이해할 수 있게 될 것입니다. 더 나아가 제곱근을 조작할 수 있게 되도록 연산을 정의하는 활동으로 자연스럽게 이어지게 하는 교두보가 될 것입니다.

> **수업에서 필요한 학생 경험**
> • 소수점 아래의 숫자가 특정한 규칙 없이, 한없이 진행될 거라는 생각을 갖게 하는 경험.
> • 조작한 수를 표현하기 위한 새로운 방법이 필요함을 인식하고 표현하는 경험.

[9수01-09] 실수의 대소 관계를 판단할 수 있다.
[성취기준 재해석] 단순히 실수를 대소 관계를 판단하는 능력보다 대소 비교가 필요한 상황에 두 수의 크기를 비교하는 능력을 발휘하는 것이 중요하다고 생각합니다. 이는 무리수를 발견하는 과정에서 그 수의 근삿값을 찾아가는 과정에서 자연스럽게 사용될 수 있을 것입니다.
[9수01-10] 근호를 포함한 식의 사칙계산을 할 수 있다.
[성취기준 재해석] 새로운 수를 스스로 정의하게 되면, 이를 사용하기 위한 연산을 정의해보는 것은 자연스러운 흐름입니다. 특히 더하기와 빼기로부터 시작하여 곱하기와 나누기로 학습하는 것이 자연스러운 방식이지만 현행 교과서는 곱하기와 나누기를 먼저 진행하고 있습니다. 아마 이는 제곱근의 연산이 숫자의 연산과 비슷한 형태를 띠고 있는 곱셈과 나눗셈이 비교적 쉬울 거라 생각했기 때문일 것입니다. 이에 따라 제곱근의 덧셈과 뺄셈에서 학생들은 단순히 암기의 형태로 연산 방법을 학습하게 되고, 여러 오개념이 발생하고 있습니다. 제곱근을 막 스스로 정의해본 학생들의 사고 흐름에 적합하도록 덧셈과 뺄셈을 먼저 지도할 필요가 있습니다. 단순히 계산을 잘하게 만드는 것이 목표가 아닌 그 원리를 파악하고 이해하고, 합리적으로 연산을 정의해보는 경험을 하는 것이 중요하다고 생각합니다.

따라서 덧셈과 뺄셈을 제곱근의 정의에 따라 합리적인 연산 방법을 탐구하게 하고, 덧셈의 반복연산을 힌트로 삼아 곱셈으로 넘어가며 곱셈과 나눗셈을 정의해보는 경험이 필요합니다.

수업에서 필요한 학생 경험
- 제곱근 안의 수가 다른 경우, 서로 다른 척도임을 깨닫고, 덧셈과 뺄셈의 원리에 대해 스스로 합리적 방법을 도출하는 경험.
- 제곱근을 포함한 식을 변환해야 할 필요를 느끼고, 유용한 방법으로 변환하는 방법을 탐구하는 경험.

4. 수업의 흐름

1. 도입을 위한 정사각형 그리기 게임
정사각형의 한 변의 길이를 탐구하는 과정을 통해 제곱근을 도입하고자 합니다. 이를 위해서 학생들은 다양한 넓이의 정사각형을 그릴 수 있어야 합니다. 이를 돕고자 간단한 게임을 통해 다양한 정사각형을 그려보며, 3학년 첫 수학 수업을 즐겁게 시작할 수 있게 합니다.

2. 정사각형의 한 변의 길이 근사하기
정사각형의 한 변의 길이를 직접 구해보는 활동을 진행합니다. 이때, 학생들 스스로 정사각형의 한 변의 길이를 구하기 위한 전략을 수립할 수 있도록 '의심쟁이 설득하기' 활동을 진행할 것입니다. 이 활동을 통해 정사각형의 한 변의 길이를 구할 수 있는 전략을 수립하고, 계산기를 통해 실제 소수점 아래 10번째 자리까지 정사각형의 한 변의 길이를 구하는 활동을 진행합니다. 반복적인 계산 활동을 직접 진행하면서 학생들은 은연중에 유리수가 아닐 것임을 인지하게 됩니다.

학생들은 정사각형의 한 변의 길이가 실존하는 것을 알고, 이를 계산기를 통해 구해보았으나 소수점 아래로 계속 숫자가 나와 길이를 정확히 표현하기의 어려움을 인식하게 됩니다. 이러한 어려움이 제곱근이 정의될 필요로 이어지고, 이러한 필요로 제곱근 기호가 도입됩니다.

3. 제곱근 정의하기
제곱근의 기호가 도입되었지만, 정사각형의 길이를 표현하기 위한 도구로 사용되어 아직 엄밀하게 정의되지 않았습니다. 컴퍼스를 이용하여 음의 제곱근의 존재를 확인하며 제곱근을 정의하게 됩니다.

4. 제곱근의 덧셈과 뺄셈
$\sqrt{2}+\sqrt{2}$가 $\sqrt{4}$인지 아닌지에 대한 탐구로 제곱근의 연산을 시작합니다. 일반적인 숫자의 덧셈처럼 제곱근의 연산이 진행되지 않음을 인식하고, 그 이유에 대해 탐구하며, 올바르게 제곱근의 덧셈과 뺄셈을 정의하는 방법에 대해 수직선과 컴퍼스를 이용하여 학습하게 됩니다.

5. 제곱근의 곱셈
제곱근의 곱셈을 귀납적인 추론으로 먼저 진행한 후 논리적 설명을 덧붙이는 방식으로 수업을 진행합니다. 지금까지 근호를 포함한 곱셈에 대해 알고 있는 사실이 몇가지 있기에 이를 이용하여 제곱근의 곱셈 방식에 대해 추측해보고, 이를 정당화하는 과정을 가집니다. 이후 $\sqrt{80}$을 그려보는 활동을 제시하여 넓이 80인 정사각형을 그리는 방법 대신 새로운 방법이 필요함을 인식시켜 $a\sqrt{b}$ 형태로 변환에 대해 학습할 수 있도록 유도합니다.

6. 제곱근의 나눗셈
제곱근의 나눗셈은 그 의미를 제대로 음미해보는 과정을 통해 학생들이 나눗셈에 대한 이해를 높일 수 있다고 생각하였습니다. 학생들은 교과서에서 혹은 교사가 제시한 대로 아무런 고민 없이 $\frac{\sqrt{b}}{\sqrt{a}}=\sqrt{\frac{b}{a}}$ 를 같다고 여기고 있습니다. 본 자료에서는 학생들에게 이 둘의 차이를 비교하게 하여 나눗셈의 의미를 구성해 나가게 합니다.

7. 제곱근의 사칙연산 연습

제곱근은 앞으로의 수학 학습에 있어서 도구적으로 사용되는 경향이 있어 어느 정도 계산 능력이 요구됩니다. 이에 많은 반복 연습을 학생들은 하게 되는데, 수에 대한 이해 없이 계산만 할 수 있는 학생을 만들고 싶진 않을 것입니다. 연산을 연습할 때도 학생들의 사고력을 자극하고자 답을 구하는 방식이 아닌 빈칸을 채워 올바른 식을 만드는 형태의 과제를 구성하였습니다.

정사각형 만들기 게임

2명이 서로 번갈아 게임판에 ○,●를 표시하여 정사각형을 만드는 게임을 해 봅시다. 정사각형을 만들 수 있는 4개의 꼭짓점에 먼저 표시를 한 사람이 이기는 것으로 예를 들면 오른쪽 그림은 ●를 표시한 사람이 이긴 것입니다.
이긴 사람은 자신이 그린 정사각형의 넓이만큼 점수를 획득하게 됩니다. (모눈 한 칸의 길이는 1입니다.)

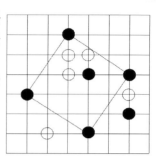

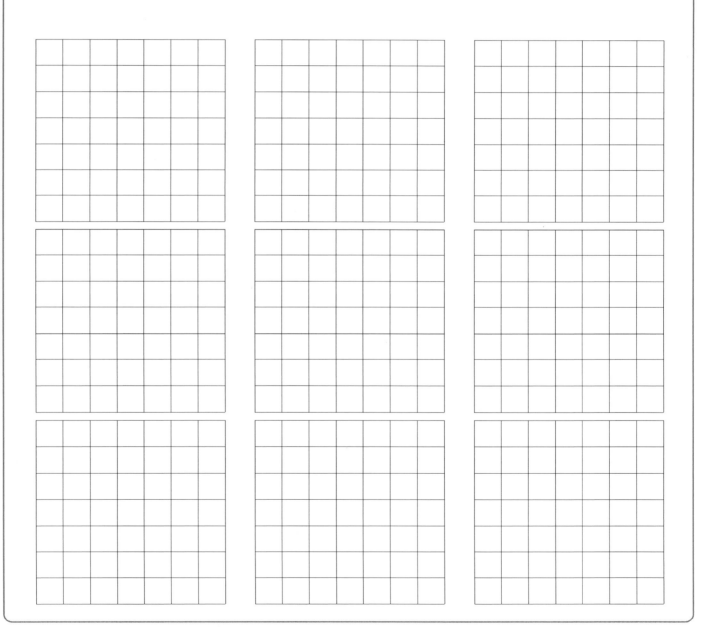

- 새학년 첫 시간 수업입니다. 학생들이 수학을 즐길 수 있는 편안한 분위기를 조성하는 데 도움이 되는 게임이 되길 기대합니다.
- 게임은 적절한 자유도와 적절한 규제가 어우러져야 합니다. 특히 적절히 게임의 양상을 교사가 조절함으로써 수학적 사고를 더할 수 있습니다.
- 진행 방법 예시
    1. 먼저 게임 방법에 대해 간단히 설명합니다.
    2. 짝꿍과 게임을 진행하게 합니다. 처음이니 먼저 이름 작성부터 함께 진행합니다. 둘 중 한 명의 학습지에만 게임을 진행하지만 두 사람 모두의 학습지에 이름을 작성하게 합니다.
    3. 3분의 시간을 부여하고 게임을 진행하게 합니다.
    4. 1분의 시간 동안 승리한 정사각형의 넓이를 구해보게 합니다. 이후, 정사각형 넓이 구하는 여러 가지 학생들의 방식을 공유하여, 모두가 정사각형 넓이 구하는 방식을 이해할 수 있게 돕습니다.
    5. 이제 짝을 바꾸며 본 게임으로 진행하되, 게임 시간 2분, 정사각형 넓이 구하는 시간 1분을 부여하며 교실을 적절히 통제합니다.(시간은 상황에 따라 늘이거나 줄일 수 있습니다.)
- 이긴 사람이 나오지 않을 수도 있습니다. 이 경우 무승부로 규정하고, 현재 찍힌 모든 점들을 대상으로 만들 수 있는 가장 큰 정사각형을 함께 찾게 하여 그 넓이의 절반을 점수로 가져가게 함으로써 무승부에서도 학생들이 게임을 중단하고 수업에 참여할 수 있도록 합니다.
- 학생들은 격자와 평행한 변을 가지는 정사각형만을 주로 찾는 경향이 있습니다. 예를 들어, 넓이 1, 4, 9, 16과 같은 경우인데, 이런 현상이 지배적일 경우 중간게임이 종료된 후에 학생들의 사례를 공유함으로써 다양한 정사각형을 그릴 수 있도록 유도합니다. 또는 처음 게임 안내시 이긴 정사각형의 넓이가 교실에서 유일한 경우 특별상을 부여한다고 미리 안내하고, 게임이 모두 끝난 후 1부터 차례대로 넓이를 불러가며, 해당 정사각형의 넓이로 이긴 사람들을 손을 들게 합니다. 그리고 그 정사각형으로 이긴 학생들에게 특별상을 부여하는 방법을 사용할 수도 있습니다.

- 수업 후 좋았던 점, 아쉬운 점, 개선하고 싶은 점 등을 기록해보세요.

정사각형 탐구

모눈종이에 넓이가 20보다 작은 서로 다른 정사각형을 최대한 많이 찾고 그린 사각형 안에 사각형의 넓이를 적으세요.(가로, 세로 점과 점 사이의 간격은 1입니다.)

질문1. 1부터 20까지의 자연수를 넓이로 가지는 모든 사각형을 격자점을 이용하여 그릴 수 있었나요? 그 이유는 무엇인가요?

질문2. 넓이가 3이 되는 정사각형은 존재할까요? 그 이유는 무엇인가요?

질문3. 한 변의 길이를 정확히 알 수 있는 정사각형의 넓이는 무엇이고, 한 변의 길이는 얼마인가요?

질문4. 넓이 2인 정사각형의 한 변의 길이를 x라고 할 때, 넓이를 x에 관한 식으로 표현해 보세요.

- 준비물 : 자, 지오지브라 등 그래픽 소프트웨어
- 개인 활동 시간을 충분히 부여하여 여러 정사각형을 그려볼 수 있도록 유도합니다. 학생들의 학습 속도를 조절하기 위해 중간중간 학생들이 찾은 정사각형을 스크린을 통해 공유합니다. 빠른 학생들은 더욱 자극하고 어려워하는 학생들에게는 힌트를 부여할 수 있습니다. 지오지브라는 설치 없이 웹에서 사용가능하여 쉽게 이용해 볼 수 있습니다.
- 어느 정도 시간이 흐르면 모둠 내에서 활동을 공유할 수 있게 합니다. 돌아가며 자신이 그린 정사각형의 넓이와 그 이유를 설명하게 합니다. 제곱근을 도입할 때, 정사각형의 한 변의 길이로 도입할 예정이기에 이러한 활동은 제곱근의 존재성에 대한 확신을 부여할 수 있습니다. 공유가 끝난 후 자신에게 빠져있는 정사각형은 모두 직접 그려볼 수 있도록 지도합니다.
- 질문1, 질문2 : 넓이가 3인 정사각형은 격자에 그릴 수 없습니다. 하지만 이 사실보다 중요한 것은 질문3과의 연결입니다. 격자에는 그릴 수 없는 넓이를 가지는 정사각형이 존재하지만 어떤 넓이를 가지는 정사각형이든 그릴 수 있다는 사실과 연결되어야 양의 제곱근의 존재에 대해 이야기하기 수월합니다. 아마 질문1의 경우는 피타고라스 정리와 연결 지어 설명하거나 그릴 수 있는 모든 경우의 수를 고려하는 등의 방법으로 설명할 수 있습니다. 어떤 방법이라도 공유하고 논의할 수 있는 학급 분위기를 만들기 위해 학생들의 이야기를 귀 기울여 주는 것이 좋겠습니다. 질문2의 경우도 엄밀하게 이야기하긴 어렵겠지만 학생들은 직관적으로 가능함을 인지하게 됩니다. 그러한 정돈되지 않고 어설픈 표현들이 교실에서 표현될 수 있도록 장려해주시기 바랍니다.
- 질문3 , 질문4 : 넓이가 1, 4, 9, 16과 같은 정사각형은 한 변의 길이를 정확하게 구할 수 있습니다. 반면에 넓이가 2, 5 와 같은 정사각형의 한 변의 길이는 정확히 알기 어렵습니다. 하지만 그 길이가 존재한다는 것은 본인들이 직접 그렸기 때문에 알 수 있습니다. 이 지점이 핵심입니다. 분명 존재하지만, 길이가 얼마일지에 대한 호기심을 자극해야 합니다. 학생들은 넓이 2인 정사각형의 한 변의 길이에 '1이요', '1.5요.' 등의 답을 할 수 있습니다. 하지만 이는 직접 넓이를 구해보는(제곱하는) 작업을 통해 쉽게 깨질 수 있는 생각입니다. 이런 학생들의 인지적 갈등이 다음 활동의 동기로 작용하도록 수업을 진행하시면 됩니다.

- 수업 후 좋았던 점, 아쉬운 점, 개선하고 싶은 점 등을 기록해보세요.

의심쟁이 설득하기

짝끼리 번갈아 가며 '의심쟁이' 역할을 수행합니다. 의심쟁이는 상대방의 주장을 의심하며 집요하게 질문합니다. 하나의 의심도 남지 않을 때까지, 질문을 반복합니다.

정사각형의 한 변의 길이 구하기

넓이가 1부터 20 사이의 정사각형 중 한 변의 길이를 구하지 못한 정사각형을 정해 한 변의 길이를 구해보는 활동을 진행합니다.

질문1. 우리 모둠에서 선택한 정사각형의 넓이 :

질문2. 의심쟁이 설득하기 활동을 바탕으로 정사각형의 한 변의 길이를 구하는 전략을 설명하세요. 이해를 돕기 위해 적절한 그림을 그려 설명하세요.

질문3. 위의 방법을 실행하여 정사각형의 한 변의 길이를 계산기가 허락하는 범위내에서 최대한 구하고, 그 과정을 정리하세요.

- 준비물 : 의심쟁이 설득하기 활동 PPT, 계산기
- 의심쟁이 활동 PPT 질문 예시
   1. 넓이가 1인 정사각형의 한 변의 길이는 얼마일까?
   2. 넓이가 4인 정사각형의 한 변의 길이는 얼마일까?
   3. 넓이 2인 정사각형의 한 변의 길이는 1보다 큰가?
   4. 넓이 5인 정사각형의 한 변의 길이는 3보다 작은가?
   5. 넓이 10인 정사각형의 한 변의 길이는 대략 얼마인가?
   6. 앞의 친구가 찾은 것보다 좀 더 정확한 길이를 구하고 그 이유를 설명하여라.
- 이번 수업은 정사각형 한 변의 길이를 구하는 전략을 수립하는 것과 직접 계산기를 이용하여 구해봄으로써 구하고자 하는 정사각형의 한 변의 길이가 유리수가 아님을 느끼게 하는 수업입니다.
- 논의 주제는 PPT를 이용하여 하나씩 차례대로 제시하며 수업을 진행합니다. 문항별로 학생들이 역할을 번갈아 갈 수 있도록 하고, 학생 활동을 유심히 관찰하여 유의미한 대화가 오간 짝의 활동을 공유하여 처음 하는 활동을 보다 잘 진행할 수 있도록 돕습니다.
- 위의 활동을 통해 어느 정도 정사각형의 한 변의 길이를 구하는 방법에 대한 아이디어를 떠올릴 수 있습니다. 모둠별로 하나의 숫자를 정하게 합니다. 모두 다르게 할 수도 2개 모둠씩은 같은 숫자를 선택하게 하여 비교할 수도 있습니다. 교사는 계산기로 그 결과의 옳고 그름을 쉽게 확인할 수 있으니 다양한 값을 선정해도 큰 어려움 없이 수업을 진행할 수 있습니다.
- 질문2 : 학생들은 자연스럽게 제곱근의 대소 관계를 탐구하게 됩니다. 간단한 그림으로 그 아이디어를 설명하게 하고, 여러 아이디어가 나올 경우 공유하여 서로의 생각을 비교하게 합니다.
- 활동 : 실제 계산기를 통해 제곱하는 과정을 진행합니다. 예를 들어 넓이 2인 정사각형의 한 변의 길이를 구하기 위해, 학생들은 1의 제곱과 2의 제곱을 비교한 후, 1보다 크고 2보다 작다는 사실을 알게 됩니다. 이후 1.1의 제곱, 1.2의 제곱 등을 하면서 1.4와 1.5 사이의 값이라는 것을 알게 되죠. 이러한 과정을 소수 10번째 자리까지 진행합니다. 이때, 학생들은 다양한 접근 방법이 나타납니다. 1.1부터 차례대로 제곱하는 학생이 있는가 하면, 1.5부터 시작하는 학생들도 있습니다. 어느 정도 활동이 진행되면 잠시 멈춰서 서로의 전략들을 공유하고, 효율적인 접근 방법에 대해 논의해보는 것도 학생들의 수 감각에 도움이 될 것입니다.

- 수업 후 좋았던 점, 아쉬운 점, 개선하고 싶은 점 등을 기록해보세요.

어떻게 표현할까?

정사각형의 한 변의 길이를 소수로 표현하는 것은 정확한 값을 끝까지 구할 수 없을 뿐만 아니라 실제로 나타내는 과정은 굉장히 어려웠습니다. 따라서 기호를 도입하여 표현하게 되었습니다. 넓이 2인 정사각형의 한 변의 길이는 기호 $\sqrt{}$ 를 사용하여 $\sqrt{2}$로 표현하며 '제곱근 2' 또는 '루트(root) 2'라고 읽습니다.

질문1. 위 내용을 바탕으로 다음 빈칸을 적절히 채워보세요.

문제	제곱근 기호로 표현	읽는 방법
넓이 23인 정사각형의 한 변의 길이		
제곱해서 4가 되는 수		
$x^2 = 5$을 만족하는 x		

제곱근은 몇 개일까?

제곱해서 4가 되는 수는 2와 $^-2$가 있습니다. 그렇다면 $x^2 = 5$를 만족하는 수는 어떨까요?

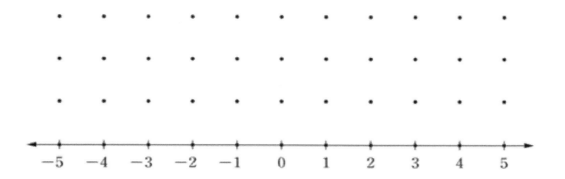

질문1. 위 수직선에 $\sqrt{5}$ 를 표시하기 위한 정사각형을 그려보세요.

질문2. $x^2 = 5$를 만족하는 수를 모두 수직선에 표현해 보고, 점을 표현한 방법과, 찍힌 점에 해당하는 수를 제곱하면 5가 되는 이유를 설명하세요.

- 점을 표현한 방법 :

- 찍은 점에 해당하는 수를 제곱하면 5가 되는 이유 :

정의하기

어떤 수 x를 제곱하여 a가 될 때, 즉

질문1. 위 문장을 식으로 표현하면 :

일 때, x를 a의 **제곱근**이라고 한다.

질문2. 제곱근은 항상 2개일까?

질문3. 모든 수의 제곱근은 항상 존재할까?

확인하기

질문1. 다음을 구하세요.

(1) 49의 제곱근

(2) 0.16의 제곱근

(3) $\dfrac{49}{25}$ 의 제곱근

(4) 3의 제곱근

(5) 제곱근 0.2

(6) $\dfrac{2}{3}$ 의 음의 제곱근

질문2. 다음의 값을 구하고 그 이유를 설명하세요.

(1) $(\sqrt{13})^2$	
(2) $(-\sqrt{\dfrac{3}{2}})^2$	
(3) $-\sqrt{36}$	

어떻게 표현할까?

• 각자의 기호를 표현해 보는 시간을 학습지를 나눠주기 전에 제공해보는 것도 하나의 방법일 수 있습니다. 그리고 자신이 표현한 기호가 수행하는 역할을 실제 숫자를 넣어 표현하면서 음미하다 보면 근호의 의미를 더 잘 이해하게 도울 수도 있습니다.

• 아직 제곱근을 엄밀하게 정의하지 않은 상태입니다. 표현에서 알 수 있듯이 정사각형의 한 변의 길이라고 표현했습니다. 즉, 아직 음의 제곱근을 다루지 않은 상태로 수직선을 통해 음의 제곱근을 표현한 이후에 제곱근을 정확하게 정의할 수 있게 됩니다.

제곱근은 몇 개일까?

• 정사각형의 한 변의 길이를 근호로 표현하였기에, 이는 수의 범주에 들어간다는 것을 학생들은 직관적으로 알고 있습니다. 이를 수직선에 표현하며 음의 제곱근을 탐색하게 만듭니다. 이를 바탕으로 제곱근을 정의합니다.

• 수업 후 좋았던 점, 아쉬운 점, 개선하고 싶은 점 등을 기록해보세요.

어떻게 더할까?

질문1. 어떤 수의 제곱근도 수이므로 덧셈과 뺄셈 등 연산이 가능할 것입니다. $\sqrt{2}+\sqrt{2}=\sqrt{4}$와 같이 더하면 될까요? 그렇지 않습니다. 그 이유를 서로 다른 두 가지 방법으로 설명해보세요.

$\sqrt{2}+\sqrt{2}=\sqrt{4}$가 성립하지 않는 이유

질문2. 자와 컴퍼스를 이용하여 $\sqrt{5}+\sqrt{5}$와 $-\sqrt{2}-\sqrt{2}-\sqrt{2}$를 아래 수직선에 각각 표현해 보세요. 그리고 그 방법에 대해 자세히 서술하세요.

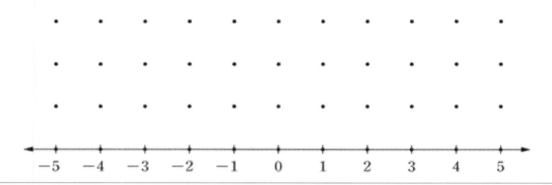

질문3. $\sqrt{5}+\sqrt{5}+\sqrt{5}+\sqrt{5}+\sqrt{5}+\sqrt{5}+\sqrt{5}$는 어떻게 간단히 나타내면 좋을까?

제곱근의 덧셈과 뺄셈

질문1. 자와 컴퍼스를 이용하여 $2\sqrt{5}-\sqrt{2}$ 를 아래 수직선에 표현해 보고, 표현한 방법에 관해 서술하세요.

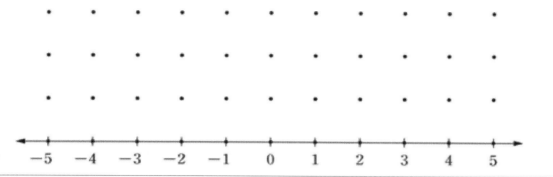

제곱근의 덧셈과 뺄셈 2

질문1. 다음을 수직선에 표현하는 방법에 대해 간단히 변환하여 표현한 후, 이를 식으로 바꿔보세요.

문제	표현 방법 서술	바꾼 식
1) $4\sqrt{10}+3\sqrt{10}-\sqrt{2}$		
2) $5\sqrt{13}+\sqrt{6}-7\sqrt{13}$		
3) $2\sqrt{3}-\sqrt{7}-4\sqrt{3}+2\sqrt{7}$		

- 준비물 : 자, 컴퍼스
- 제곱근의 덧셈 학습에서 실제로 많이 나타나는 학생들의 오류 중의 하나가 $\sqrt{2}+\sqrt{2}=\sqrt{4}$ 와 같이 숫자처럼 연산하는 것입니다. 그 이유는 교과서에서는 문자처럼 사용하면 된다고 공식처럼 방식을 알려주기 때문입니다. 학생들에게 고민할 시간을 주고, 제곱근의 덧셈이 왜 문자와 비슷한 방식으로 연산할 수밖에 없는지를 스스로 깨달을 수 있게 해야 합니다.

어떻게 더할까?

- 현재 학생들은 조금만 생각하면 등식이 성립하지 않음을 알게 됩니다. $\sqrt{2}$ 의 근삿값을 이미 직접 구해보았기 때문에 두 값이 일치하지 않음은 알 수 있습니다. 그래서 추가적인 방법을 하나 더 찾아보게 합니다. 다양한 답변이 나올 수 있으므로 학생 활동을 주의 깊게 관찰하여 공유할 대상을 미리 선정해 두시면 좋습니다. 그리고 공유하는 아이디어의 마지막은 넓이2인 정사각형의 길이를 두 번 더하는 것과 넓이 4인 정사각형의 한 변의 길이를 비교하는 형태의 답변으로 선택하여 질문2와 연결될 수 있도록 합니다.
- 질문2 : 덧셈에 대한 아이디어를 얻게 되었다면 실제 수직선을 이용하여 표현해 보게 합니다. 이때, 번거롭더라도 컴퍼스를 사용하는 것을 추천합니다. 동일한 길이를 컴퍼스로 고정하고 옮긴다는 행위가 중요합니다. 이러한 경험이 근호 안의 수가 서로 다르면 서로 다른 척도라는 것을 인식하게 도울 것입니다. 방법에 대한 서술은 학생들이 직접 행한 사실을 기록하게 하면 좋을 것 같습니다. 넓이 5인 정사각형의 한 변의 길이를 컴퍼스를 재고 오른쪽으로... 와 같은 형태로 말이죠. 이러한 설명이 $\sqrt{2}+\sqrt{3} \neq \sqrt{5}$ 임을 당연하게 받아들이게 만들 것입니다.
- 질문3 : 덧셈의 반복을 곱셈으로 표현하는 원리를 바탕으로 간단하게 표현해 보게 합니다. 의외로 학생들은 곱셈이 덧셈을 간단히 표현하는 방법임을 알지 못하는 학생들이 많습니다.

제곱근의 덧셈과 뺄셈

- 근호안의 수가 서로 다른 제곱근을 수직선과 컴퍼스를 이용하여 표현하는 과정을 통해 제곱근의 덧셈과 뺄셈의 원리를 파악할 수 있도록 돕습니다.

제곱근의 덧셈과 뺄셈2

- 수직선 없이 식으로 진행합니다. 하지만 이 과제의 핵심은 방법을 서술하는 것에 있습니다. $\sqrt{10}$ 만큼 오른쪽으로 4번가고, 다시 $\sqrt{10}$ 만큼 오른쪽으로 3번 간다는 표현을 통해 총 7번 이동하는 것이고, 따라서 $7\sqrt{10}$ 이 된다는 것을 설명할 수 있게 되길 바라는 과제입니다.

- 수업 후 좋았던 점, 아쉬운 점, 개선하고 싶은 점 등을 기록해보세요.

근호 안의 수가 큰 경우 수직선에 표현 방법

질문1. 정사각형을 이용하여 $\sqrt{80}$ 을 수직선에 표시하고, 어떤 어려움이 있는지, 그리고 그 어려움을 해결할 방법이 있는지 생각해보세요.

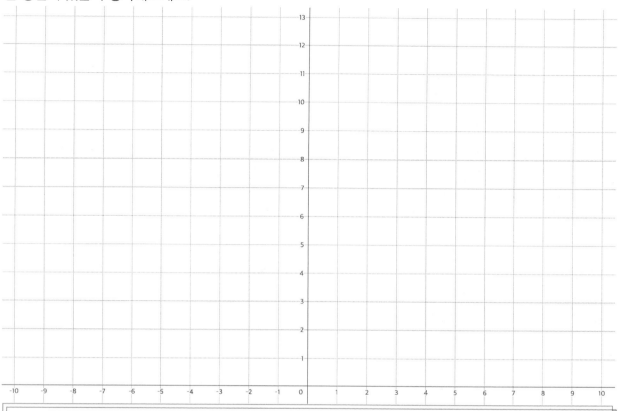

그릴 때 어려움 :

해결 방안 :

질문2. 위에서 제시한 해결 방안으로 $\sqrt{500}$ 을 수직선에 찍는 방법을 서술하세요.

제곱근의 곱셈

질문1. $\sqrt{80}$ 을 $\sqrt{80}=\sqrt{4}\sqrt{4}\sqrt{5}=4\sqrt{5}$ 로 생각하기 위해서 무엇을 증명해야 할까요? 그리고 그 식을 증명해보세요.

증명해야 할 식 :

증명 :

질문2. 다음 수를 $a\sqrt{b}$ 의 꼴로 나타내세요.

1) $\sqrt{24}$

2) $-\sqrt{75}$

3) $\sqrt{700}$

4) $\sqrt{128}$

질문3. 다음을 수직선에 표현할 때, 가장 적은 수의 컴퍼스의 너비만을 이용하여 그릴 수 있도록 식을 변형하여라. 앞으로 이런 과정을 '계산하라.'라고 표현합니다.

1) $\sqrt{27}-2\sqrt{3}+\sqrt{5}$

2) $-\sqrt{32}-2\sqrt{2}$

3) $2\sqrt{28}-\sqrt{63}+4\sqrt{7}$

4) $\sqrt{20}+2\sqrt{2}-3\sqrt{5}-\sqrt{8}$

근호 안의 수가 큰 경우 수직선에 표현 방법

- 넓이가 큰 정사각형을 직접 그리는 것이 어려움을 확인하는 과정에서 곱셈에 대한 아이디어를 얻게 만들고자 합니다. 선행학습의 여파로 $\sqrt{80} = 4\sqrt{5}$ 로 변환해야 한다고 말하는 학생들이 존재할 가능성이 큽니다. 적절히 받아들여 '작은 정사각형을 구할 수 있다면'이라는 아이디어로 연결하면서, 넓이 80인 정사각형을 넓이 5인 정사각형으로 분할하여 실제 $\sqrt{80} = 4\sqrt{5}$ 이 됨을 시각적으로 확인해주시면 됩니다.
- 곱셈이 정확히 정의되지 않은 상태지만 앞의 방법으로 $\sqrt{500}$ 을 그리는 방법을 생각하게 하여 $a\sqrt{b}$ 꼴의 변환에 대해 경험해 보도록 합니다.

제곱근의 곱셈

- 아직 곱셈이 정의되지 않았기 때문에 앞의 방법이 유효한 방법인지 확인되지 않은 상태입니다. 하지만 학생들은 당연하게 된다고 생각하고 있을 가능성이 큽니다. 덧셈에서 $\sqrt{2} + \sqrt{3} \neq \sqrt{5}$ 아니었다는 것을 상기시키며, 곱셈이 성립하는 이유에 대해 증명해보라고 요구합니다.
- 질문3 : 학생들에겐 $\sqrt{27} - 2\sqrt{3}$ 을 간단히 할 필요를 사실 느끼지 못할 수 있겠다는 생각이 들었습니다. 그래서 수업의 흐름상 필요를 느끼게 하기 위해 가장 적은 수의 컴퍼스의 너비를 사용하게 만들라는 표현을 이용하였습니다.

- 수업 후 좋았던 점, 아쉬운 점, 개선하고 싶은 점 등을 기록해보세요.

제곱근의 나눗셈

질문1. $\sqrt{2} \div \sqrt{5}$ 는 어떻게 간단히 표현하나요?

질문2. $\dfrac{\sqrt{2}}{\sqrt{5}}$ 와 $\sqrt{\dfrac{2}{5}}$ 는 같은 값인가요? 그 이유는 무엇인가요?

질문3. $\sqrt{2}$ 의 어림한 값을 제곱근표를 보고 찾아본 후, $\dfrac{1}{\sqrt{2}}$ 의 값은 어느 정도 되는지 계산해보세요.

$\sqrt{2}$ 를 어림한 값	계산

질문4. 보다 정확한 근삿값을 구하고 싶습니다. $\sqrt{2}$ 의 값은 약 1.4142135623730951입니다. $\dfrac{1}{\sqrt{2}}$ 을 계산할 때, 어떤 어려움이 있는지 확인하고, 어려움을 극복할 수 있는 방법을 찾아, $\dfrac{1}{\sqrt{2}}$ 을 계산해보세요.

어려움	계산하기
방법 설명	

$a > 0, b > 0$일 때, $\dfrac{\sqrt{a}}{\sqrt{b}} = \dfrac{\sqrt{a}\sqrt{a}}{\sqrt{b}\sqrt{b}} = \dfrac{\sqrt{ab}}{b}$

제곱근의 나눗셈 2

질문1. 제곱근의 표를 보고 다음 수의 근삿값을 구해보세요.

문제	계산과정	근삿값
1) $\dfrac{2}{\sqrt{5}}$		
3) $\dfrac{2}{3\sqrt{2}}$		

질문2. 다음을 계산하세요,

1) $3\sqrt{5} - 2 \div \sqrt{5}$

2) $\sqrt{2}(\sqrt{3} - 2\sqrt{2}) + \sqrt{12} \div \sqrt{2}$

3) $\sqrt{2} \times \sqrt{6} - 2 \div \sqrt{3}$

4) $(\sqrt{18} + \sqrt{6}) \div \sqrt{3} + \sqrt{2}(-\sqrt{3} + 2)$

제곱근의 나눗셈

- 질문1 : 나누기와 분수 표현을 동일시하지 못하는 학생들도 있습니다. 나눗셈을 간단히 표현하는 방법으로 분수가 사용될 수 있음을 이야기합니다.
- 질문2 : 두 식이 같아지기 위해서는 나눗셈이 정의된 이후여야 합니다. 하지만 이러한 고민을 하지 않고 그냥 같다고 학생들은 인식합니다. 의미로 풀어보면 $\frac{\sqrt{2}}{\sqrt{5}}$ 는 제곱해서 2가 되는 양수를 제곱해서 5가 되는 양수로 나눈 것이고, $\sqrt{\frac{2}{5}}$ 는 제곱해서 $\frac{2}{5}$ 가 되는 수 중 양수를 의미합니다. 학생들이 수학을 수동적이고 비판 없이 수용하는 것이 아닌, 항상 의문을 가지는 태도가 길러지길 바라는 마음에서 다루는 문제이고, 이 논의를 통해 학생들은 제곱근의 나눗셈에 대해 보다 깊이 있는 이해가 가능해지는 토론이 이루어 질 수 있습니다. 학생들이 평소 생각해보지 못한 내용을 제시함으로써 적절한 인지적 갈등을 유발하고 이는 호기심을 자극하여 수업 동기가 유발될 수 있습니다.
- 질문3, 질문4 : 분모의 유리화의 필요성을 느끼게 만들기 위한 과제입니다. 질문3을 하면서 제곱근의 표에 대해 간단히 이야기 할 수 있습니다. 그리고 실제 나눗셈을 통해 나눠보게 시킵니다. 소수가 있는 숫자의 나눗셈을 하지 못하는 학생들이 많이 발견될 수 있습니다. 이럴 경우 나눗셈의 방법을 알려주고, 나눗셈을 직접 시켜보아야 합니다. 나눗셈의 과정에서 번거로움을 많이 느낄수록, 유리화가 필요하다는 것을 더 강력하게 알게 될 것입니다. 그리고 번거로움의 어려움이 분모에 있다는 것을 알게 되며, 분모를 간단히 할 수 있는 방법을 찾는 것은 의미 있는 일이라고 생각하게 될 것입니다.

제곱근의 나눗셈 2

- 실제 유리화가 근삿값을 찾기에 유용하다는 것을 경험해 보기 위해 제시하였습니다. 그리고 질문2를 통해 일반적인 연산을 실행해 봅니다.

- 수업 후 좋았던 점, 아쉬운 점, 개선하고 싶은 점 등을 기록해보세요.

제곱근의 사칙연산

질문1. 다음 식이 성립하도록 근호 안의 수를 채워 넣으세요. 단, 모든 식은 서로 달라야 합니다.

$$\sqrt{} + \sqrt{} - \sqrt{} = 5\sqrt{2}$$

$$\sqrt{} + \sqrt{} - \sqrt{} = 5\sqrt{2}$$

$$\sqrt{} + \sqrt{} - \sqrt{} = 5\sqrt{2}$$

질문2. 다음 식이 성립하도록 □와 근호안의 수를 채워 넣으세요. 단, 모든 식은 서로 달라야 합니다.

$$\square\sqrt{} + \sqrt{} - \square\sqrt{} - \sqrt{} = 2\sqrt{3} - \sqrt{5}$$

$$\square\sqrt{} + \sqrt{} - \square\sqrt{} - \sqrt{} = 2\sqrt{3} - \sqrt{5}$$

$$\square\sqrt{} + \sqrt{} - \square\sqrt{} - \sqrt{} = 2\sqrt{3} - \sqrt{5}$$

질문3. 다음 식이 성립하도록 □와 근호안의 수를 채워 넣으세요. 단, 모든 식은 서로 달라야 합니다.

$$\square\sqrt{} \times \sqrt{} \div \square\sqrt{} - \sqrt{} \div \sqrt{} = 2\sqrt{6}$$

$$\square\sqrt{} \times \sqrt{} \div \square\sqrt{} - \sqrt{} \div \sqrt{} = 2\sqrt{6}$$

$$\square\sqrt{} \times \sqrt{} \div \square\sqrt{} - \sqrt{} \div \sqrt{} = 2\sqrt{6}$$

제곱근의 사칙연산

모둠원의 결과를 모두 합쳐 서로 다른 10개의 식을 만드세요.

$$\sqrt{}+\sqrt{}-\sqrt{}=5\sqrt{2}$$

$$\sqrt{}+\sqrt{}-\sqrt{}=5\sqrt{2}$$

$$\sqrt{}+\sqrt{}-\sqrt{}=5\sqrt{2}$$

$$\sqrt{}+\sqrt{}-\sqrt{}=5\sqrt{2}$$

$$\sqrt{}+\sqrt{}-\sqrt{}=5\sqrt{2}$$

$$\sqrt{}+\sqrt{}-\sqrt{}=5\sqrt{2}$$

$$\sqrt{}+\sqrt{}-\sqrt{}=5\sqrt{2}$$

$$\sqrt{}+\sqrt{}-\sqrt{}=5\sqrt{2}$$

$$\sqrt{}+\sqrt{}-\sqrt{}=5\sqrt{2}$$

$$\sqrt{}+\sqrt{}-\sqrt{}=5\sqrt{2}$$

제곱근의 사칙연산

모둠원의 결과를 모두 합쳐 서로 다른 10개의 식을 만드세요.

$$\Box\sqrt{} + \sqrt{} - \Box\sqrt{} - \sqrt{} = 2\sqrt{3} - \sqrt{5}$$

$$\Box\sqrt{} + \sqrt{} - \Box\sqrt{} - \sqrt{} = 2\sqrt{3} - \sqrt{5}$$

$$\Box\sqrt{} + \sqrt{} - \Box\sqrt{} - \sqrt{} = 2\sqrt{3} - \sqrt{5}$$

$$\Box\sqrt{} + \sqrt{} - \Box\sqrt{} - \sqrt{} = 2\sqrt{3} - \sqrt{5}$$

$$\Box\sqrt{} + \sqrt{} - \Box\sqrt{} - \sqrt{} = 2\sqrt{3} - \sqrt{5}$$

$$\Box\sqrt{} + \sqrt{} - \Box\sqrt{} - \sqrt{} = 2\sqrt{3} - \sqrt{5}$$

$$\Box\sqrt{} + \sqrt{} - \Box\sqrt{} - \sqrt{} = 2\sqrt{3} - \sqrt{5}$$

$$\Box\sqrt{} + \sqrt{} - \Box\sqrt{} - \sqrt{} = 2\sqrt{3} - \sqrt{5}$$

$$\Box\sqrt{} + \sqrt{} - \Box\sqrt{} - \sqrt{} = 2\sqrt{3} - \sqrt{5}$$

$$\Box\sqrt{} + \sqrt{} - \Box\sqrt{} - \sqrt{} = 2\sqrt{3} - \sqrt{5}$$

제곱근의 사칙연산

모둠원의 결과를 모두 합쳐 서로 다른 10개의 식을 만드세요.

$$\boxed{}\sqrt{} \times \sqrt{} \div \boxed{}\sqrt{} - \sqrt{} \div \sqrt{} = 2\sqrt{6}$$

$$\boxed{}\sqrt{} \times \sqrt{} \div \boxed{}\sqrt{} - \sqrt{} \div \sqrt{} = 2\sqrt{6}$$

$$\boxed{}\sqrt{} \times \sqrt{} \div \boxed{}\sqrt{} - \sqrt{} \div \sqrt{} = 2\sqrt{6}$$

$$\boxed{}\sqrt{} \times \sqrt{} \div \boxed{}\sqrt{} - \sqrt{} \div \sqrt{} = 2\sqrt{6}$$

$$\boxed{}\sqrt{} \times \sqrt{} \div \boxed{}\sqrt{} - \sqrt{} \div \sqrt{} = 2\sqrt{6}$$

$$\boxed{}\sqrt{} \times \sqrt{} \div \boxed{}\sqrt{} - \sqrt{} \div \sqrt{} = 2\sqrt{6}$$

$$\boxed{}\sqrt{} \times \sqrt{} \div \boxed{}\sqrt{} - \sqrt{} \div \sqrt{} = 2\sqrt{6}$$

$$\boxed{}\sqrt{} \times \sqrt{} \div \boxed{}\sqrt{} - \sqrt{} \div \sqrt{} = 2\sqrt{6}$$

$$\boxed{}\sqrt{} \times \sqrt{} \div \boxed{}\sqrt{} - \sqrt{} \div \sqrt{} = 2\sqrt{6}$$

$$\boxed{}\sqrt{} \times \sqrt{} \div \boxed{}\sqrt{} - \sqrt{} \div \sqrt{} = 2\sqrt{6}$$

- 일반적으로 제시되는 연산과 반대로 문제를 만드는 형태로 연산을 연습합니다. 학생들이 자연스럽게 제곱근의 정의 및 연산의 원리를 떠올리기를 기대하며 제작하였습니다. 개인별 학습 시간을 부여하고, 그 결과를 토대로 모둠별 결과물을 제출하도록 하여 학생들이 서로의 답안을 점검하고 도움을 주고받을 수 있도록 구성하였습니다. 세 차례의 활동을 반복하며 진행하며, 이때 적절한 게임 방식 및 보상을 통해 참여 의욕을 북돋을 수 있습니다.
- 예를 들어, 적절한 시간을 부여한 후 모둠별로 작성된 모둠별 학습지를 바꾸어 서로 채점하게 만들어 (맞게 만든 문제 개수) + (다른 모둠의 오답을 발견한 개수) 를 점수로 부여하여 최종 점수가 가장 높은 모둠에 보상을 주는 방법 등을 생각해 볼 수 있습니다.

수업 성찰 일지 작성

- 수업 후 좋았던 점, 아쉬운 점, 개선하고 싶은 점 등을 기록해보세요.

2 / 이차함수와 이차방정식

※ 수업의 목표와 흐름

1. 이차함수와 이차방정식

2. 인수분해와 이차방정식

3. 이차함수

필요에 의해 배우게 만들자.

이차함수와 이차방정식을 하나의 단원으로 묶었습니다. 그리고 교과서와 다르게 그 시작은 이차함수로 시작합니다. 함수를 통해 주어진 상황을 해석하는 과정에 자연스럽게 이차방정식이 필요하게 만들려고 합니다. 그리고 그러한 이차방정식을 해결하기 위해 인수분해 및 식의 변형 과정이 필요함을 느끼고, 학생의 필요에 의하 배움이 일어나도록 수업을 구성할 것입니다.

방정식과 함수는 특히 학생들에게 수학의 유용함을 인식시켜주기에 적합한 단원입니다. 하지만 기존 교과서의 흐름은 학생들에게 그러한 인식을 심어주기에 적절하지 않았습니다. 학생들은 이유를 모른 채, 식을 전개하고 인수분해 합니다. 그리고 주어진 이차방정식을 풀며, 근의 공식을 학습하면서 학생들에게 수학은 단순히 문제를 풀고 답을 맞히기 위해 배우는 듯한 인상을 심어줍니다.

이러한 방식으로 학생들은 잘 배울 수 없습니다. 학생들에게 실제로 유용함을 선사해야 합니다. 학생들에게 곤란하고 어려운 상황, 그러면서도 해결해보고 싶은 상황을 제시해주고, 그 어려움을 극복하는데 수학이 의미 있게 사용되는 경험이 필요한 것입니다.

1 수업목표

이차식과 관련된 흥미로울 만한 과제를 통해, 상황을 해석하고 원하는 결론을 얻기 위한 과정에서 수학적 도구의 사용이 유용하다는 인식을 학생들이 하게 만드는 것이 본 단원의 목표입니다. 이러한 유용함이 수학을 학습하는 힘을 기르고, 수학 학습에 대한 내적 동기를 키울 것입니다.

2 핵심경험

- 주어진 문제 상황을 수학적으로 표현하고 해석하는 것이 유용하다고 인식하는 경험.
- 새로운 도구(인수분해)가 이차방정식의 해결에 강력한 도구가 될 수 있음을 경험함으로써 인수분해 학습의 필요성을 깨닫는 경험.
- 이차방정식의 해결을 위해 지속해서 새로운 도구와 방법을 찾아가며 성취하는 경험.
- 이차함수의 그래프는 대입을 통해서 그리기 어려움을 인식하여, 개형을 찾아야 하는 이유와 방법을 깨닫는 경험.
- 일반형의 이차함수의 그래프의 개형을 그리기 위한 방법을 탐구하며 합리적으로 사고하는 경험.

3 성취기준 재해석을 통한 학생 경험 찾기

[9수02-12] 다항식의 곱셈과 인수분해를 할 수 있다.
[성취기준재해석] 다항식을 조작하는 행위보다 중요한 것은 다항식을 조작할 필요에 대해 인지하는 일입니다. 다항식을 전개하고 인수분해 하는 것은 자칫 반복 계산처럼 느껴지며 규칙을 암기해야 하는 것처럼 느껴질 수 있기에 동기를 부여하는 것은 더욱 중요합니다. 방정식을 대입해서 푸는 것과 식의 변형을 통해 인수분해된 식에서 해를 구해보는 과정의 비교를 통해 식을 정리하는 방법에 대한 배움의 필요성을 느끼고 다항식의 곱셈과 인수분해를 원하는 상황에 맞게 스스로 선택하여 사용할 수 있게 되길 바랍니다.

> **수업에서 필요한 학생 경험**
> - 이차방정식을 대입을 통해 해결해보게 하여, 어려움을 느끼게 하고, 이를 통해 새로운 도구가 필요함을 인식하는 경험.
> - 다항식의 곱셈 및 인수분해의 원리를 스스로 파악하는 경험.

[9수02-13] 이차방정식을 풀 수 있고, 이를 활용하여 문제를 해결할 수 있다.
[성취기준재해석] 이차방정식을 풀 수 있게 되는 것은 풀기 위해 사용 가능한 방법들이 점차 많아지게 되는 과정이라고 생각합니다. 대입으로 해를 추측해보고, 인수분해를 이용하고, 제곱근을 활용하여 해를 구하고, 이를 일반화시켜 근의 공식을 완성하는 그 과정에 있다고 생각합니다. 이러한 과정을 충분히 경험하게 하는 것이 중요합니다.

> **수업에서 필요한 학생 경험**
> - 내가 가진 기존의 이차방정식의 해결 방법으로 해결할 수 없는 이차방정식을 마주하는 경험.
> - 새로운 형태의 이차방정식을 풀기 위해, 교사가 제시한 적절한 발판을 딛고 합리적으로 사고하여 새로운 방법을 도출하는 경험.

[9수03-09] 이차함수의 의미를 이해하고, 그 그래프를 그릴 수 있다.
[9수03-10] 이차함수의 그래프의 성질을 이해한다.

[성취기준재해석] 이차함수는 일차함수와 커다란 차이가 존재합니다. 일차함수는 2점만 존재하면 완벽한 그래프를 그려낼 수 있지만, 이차함수는 아무리 많은 점을 찍더라도 완벽한 그래프를 그리는 것은 사실 불가능합니다. 이러한 차이가 그래프의 개형을 그리는 이유가 되며, 평행이동의 개념이 중요해지는 지점입니다. 따라서 학생들에게 평행이동의 의미를 잘 살려주어야 합니다. 이차함수를 배움으로써 앞으로 어떤 함수이든 기본형의 그래프를 찾고 평행이동을 통해 그 그래프의 모양을 가늠할 수 있는 역량이 함양되어야 합니다. 그러한 목표를 가지고 기본형의 그래프를 찾는 과정과 평행이동의 과정에 학생들에게 많은 생각을 할 수 있는 기회를 제공해야 합니다.

수업에서 필요한 학생 경험
- 대입을 통해 그래프를 그려보면서 대입으로 이차함수 그래프를 그리는 방식의 한계를 인식하는 경험(개형의 필요성, 평행이동의 필요성).
- 이차함수의 그래프를 평행이동 시켜도 a 값이 변하지 않는다는 확신을 갖는 경험.
- 이차함수의 이동을 위해 적절한 식의 변형(상수항 더하기, x 대신 x-b)을 찾아보고 확인하는 경험.

수업의 흐름

1. 주어진 상황을 표, 그래프, 식으로 통합적으로 인식
이차식과 관련한 '붕어빵 사장님' 과제를 표, 그래프, 식으로 통합적으로 해석하며 이차함수와 이차방정식 수업 흐름의 큰 줄기를 구성합니다.

2. 인수분해의 필요성 인식
붕어빵 사업의 수익이 나는 가격을 찾기 위해 학생들은 식을 변환(인수분해 형태)하는 것이 효과적이라는 것은 인식하게 됩니다.

3. 두 자릿수 곱셈을 통해 다항식의 곱셈 방법 유추
학생들은 아직 인수분해된 식과 전개된 식이 동일한지 모릅니다. 다만 여러 가지 수를 대입하더라도 그 결과가 같기 때문에 두 식이 같을 것으로 추정하는 상태입니다. 따라서 인수분해 된 식을 실제 곱해봄으로써 같은 식임을 확인할 것입니다. 두 일차식의 곱셈은 처음 다루어지는 부분이고, 이를 익숙한 두 자릿수 곱셈을 통해 유추할 것입니다.

4. 인수분해 방법 찾기
세로셈을 통해 인수분해의 방법을 발견하게 합니다. 각 일차식의 일차항의 계수와 상수항이 어떤 역할을 하고 있는지 탐구할 수 있도록 과제들을 개발하였습니다.

5. 제곱근을 활용한 이차방정식의 해
인수분해로 해를 구할 수 없는 상황을 해결하기 위해 제곱근을 활용합니다. 제곱근의 성질을 역으로 추론해나가면서 인수분해 되지 않는 해를 구하는 아이디어를 얻고, 더 나아가 일반적인 이차방정식의 해를 구하는 방법의 탐구로 근의 공식을 발견합니다. 이러한 과정에서 최대한 학생들이 핵심적인 아이디어들을 떠올리는 경험을 할 수 있도록 수업을 진행하는 것이 핵심입니다.

6. 그래프 개형의 필요성 인식
다양한 대입의 경험을 통해 이차함수의 특징을 이해하고, 그래프의 개형을 그려야만 하는 이유를 알게 됩니다. 그 과정에서 폭과 꼭짓점의 위치를 파악해야 할 필요를 알게 하고, 이를 구하기 위한 탐구의 과정에 이차함수의 그래프의 개형을 그릴 수 있게 됩니다.

붕어빵 사업을 시작하다

겨울철 간식으로 인기가 많은 붕어빵 점포를 부쩍 찾아보기 어려워졌다고 느낀 지우는 겨울방학 때 친구들과 붕어빵 장사를 해보고 싶다는 생각을 하게 되었습니다. 시장조사 결과 붕어빵 반죽과 팥앙금 등 재료비가 하루에 97,500원이 필요하다는 것을 확인했습니다. 그리고 지우는 장사하려고 점 찍어둔 지역에서 붕어빵 1개의 가격에 따른 하루 판매량을 사전에 조사해 보았습니다. 두 개의 붕어빵 점포가 있었고 300원 하는 곳은 하루에 500개를, 500원 하는 곳은 하루에 300개를 판매하였습니다. 지우는 **가격이 오르면 판매량이 일정하게 감소**하고, **가격이 내리면 판매량이 일정하게 증가**한다고 가정하기로 했습니다.

질문1. 다음 표를 채워 넣으세요.(수익은 총 판매 금액에서 재료비를 빼야 합니다.)

붕어빵 1개 가격	100	200	300	400	500	600	700
판매량			500		300		
수익							

질문2. 붕어빵 1개의 가격과 수익의 관계를 아래의 좌표평면을 이용하여 시각적으로 표현해 보세요.

질문3. 지우가 손해를 보지 않으려면 붕어빵 가격을 얼마로 해야 할지 설명해보세요.

붕어빵 사업! 성공할 수 있을까?

질문4. 지우는 노트에 다음과 같이 적고 표를 채우려고 시도하였습니다. 빈칸을 완성해주세요.

붕어빵 1개의 가격을 x원이라고 할 때, $-(x-150)(x-650)$ 이 값 들이 필요해.

붕어빵 1개 가격	100	200	300	400	500	600	700	800	900
식의 값									

질문5. 지우는 왜 $-(x-150)(x-650)$ 이 식을 적었을까요? 그리고 우리는 무엇을 배워야 할까요?

이유 :

배워야 할 것 :

인수분해

하나의 다항식을 두 개 이상의 다항식의 곱으로 나타낼 때, 각각의 식을 처음 식의 **인수**라 하고, 하나의 다항식을 두 개 이상의 인수의 곱으로 나타내는 것을 그 다항식을 **인수분해**한다고 한다

인수분해 확인하기

질문6. 위 인수분해의 정의를 바탕으로 지우가 한 활동을 설명해보세요.

붕어빵 사업을 시작하다

- 이차함수 상황을 구성하기 위해 붕어빵 사업 스토리를 만들었습니다. 가격과 판매량은 일차함수로 가정하여 추후 매출을 구할 때, 가격과 판매량의 곱으로 이차식이 나오도록 구성하였습니다. 문제를 해결하기 위해 좌표평면에 나타내고 질문3을 통해 그래프가 0과 만나는 점에 대해 궁금해하도록 만듭니다. 이때, 표로 확인할 수 없도록 150과 650을 해가 되도록 구성하였습니다. 해를 알기 어려워야 식으로 표현할 필요를 느끼게 되기 때문입니다. 질문3에서 최종적으로 수익을 이차식으로 표현하는 것이 필요하고, 이를 $-x^2 + 800 - 97500 = 0$의 이차방정식을 세우도록 발문을 통해 유도합니다.

붕어빵 사업! 성공할 수 있을까?

- 우리가 구한 식과 다른 식을 지우가 점검하고 있습니다. 우선 지우를 따라 대응표를 채워보도록 합니다. 대응표를 채워보면 앞에서 작성한 대응표와 동일하다는 것을 알 수 있습니다. 즉, 우리가 세운 식($-x^2 + 800 - 97500$) 과 지우 세운 식이 같다는 것을 추측할 수 있습니다. 같은 식이지만 다르게 쓰였는데, 지우가 이렇게 식을 바꾼 이유에 대해 토론하며 이차방정식을 풀기 위해 식을 변환하는 것이 필요하다는 것을 인식시켜 인수분해에 대한 동기를 유발합니다.

- 수업 후 좋았던 점, 아쉬운 점, 개선하고 싶은 점 등을 기록해보세요.

식을 곱하는 방법

질문1. $(x-150)(x-650)=x^2-800x+97500$ 임을 확인하기 위해 곱셈의 원리를 이용해 보도록 하겠습니다. 먼저 24×76을 계산해 보세요.

질문2. 다음 숫자 세로셈 방식을 바탕으로 $(x-150)(x-650)$을 $x^2-800x+97500$으로 바꿀 수 있는지 직접 확인해 보세요.

$$
\begin{array}{r}
2 \times \underline{10} \quad\quad + 4 \\
\times \quad\quad\quad 7 \times \underline{10} \quad\quad + 6 \\
\hline
2 \times 6 \times \underline{10} \quad + 4 \times 6 \\
2 \times \underline{10} \times 7 \times \underline{10} \; + 4 \times 7 \times \underline{10} \quad\quad\quad \\
\hline
14 \times \underline{10}^2 \quad\quad + (12+28) \times \underline{10} \quad\quad + 24
\end{array}
$$

$$
\begin{array}{r}
x \quad\quad - 150 \\
\times \quad\quad\quad x \quad\quad - 650 \\
\hline
\end{array}
$$

질문3. 같은 방법으로 다음 식을 전개해 보세요.

$(x+3)x$	$(2x-3)(2x-3)$	$(x-2)(x+2)$	$(2x-\dfrac{1}{2})(-3x+2)$

- 앞에서 대입을 통해 $(x-150)(x-650) = x^2 - 800x + 97500$ 라고 가정하였습니다. 이번에는 직접 그 결과가 같음을 확인해 볼 것입니다. 두 자릿수의 곱셈의 원리를 그대로 적용하여 스스로 그 방법을 찾아내기를 바라는 형태로 구성하였습니다. 10진법에서 10이 실제로 문자와 유사하게 작동하는 부분이 있어 이 부분에 착안하여, 문자의 곱셈에 적용해 볼 수 있도록 세로셈으로 다항식의 곱셈을 진행합니다.
- 질문3도 세로셈을 이용하여 계산해 볼 수 있도록 지도하길 바랍니다. 세로셈의 방법은 이후 인수분해에서도 지속해서 사용할 방법이고, 인수분해를 지도하는데 특히 강점이 있다고 생각합니다.

- 수업 후 좋았던 점, 아쉬운 점, 개선하고 싶은 점 등을 기록해보세요.

인수분해 파해치기

질문1. 이차방정식은 두 일차식의 곱의 형태로 표현(인수분해)하면 해를 구하기 쉬웠습니다. □ 안에는 어떤 수가 들어와도 괜찮습니다. 두 일차항을 곱해 상수항이 12가 나오는 서로 다른 두 일차식의 곱셈을 만들어보세요.

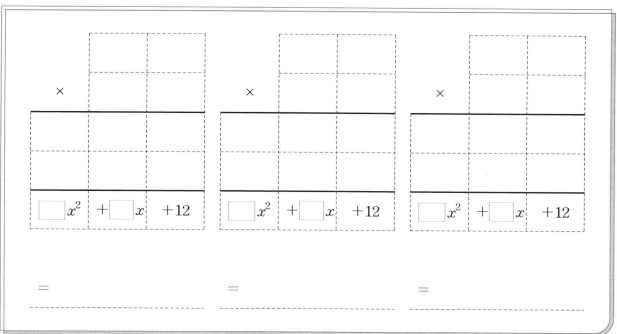

질문2. 주어진 다항식의 상수항 12와 구해진 두 일차식은 어떤 관계가 있나요?

질문3. 다음을 만족하는 두 일차식의 곱을 개인별로 3개씩 찾아보세요. 단, 일차항의 계수 및 상수항은 정수만 사용하세요.

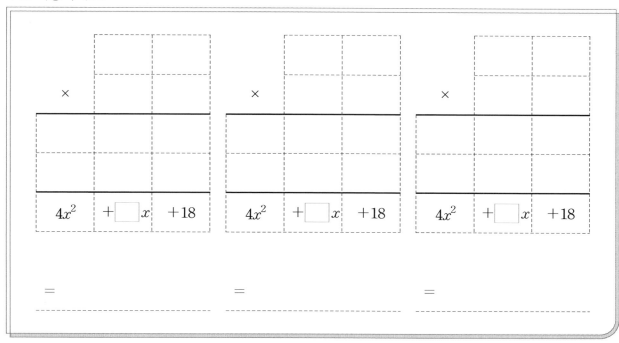

인수분해 알아내기!

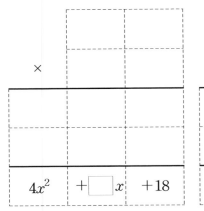

$4x^2$ $+\boxed{}x$ $+18$

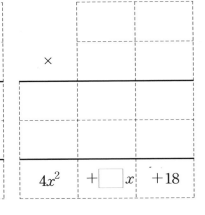

$4x^2$ $+\boxed{}x$ $+18$

$4x^2$ $+\boxed{}x$ $+18$

=

=

=

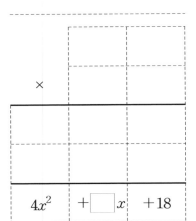

$4x^2$ $+\boxed{}x$ $+18$

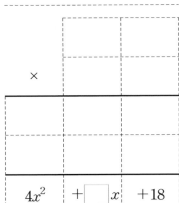

$4x^2$ $+\boxed{}x$ $+18$

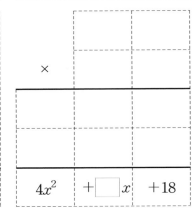

$4x^2$ $+\boxed{}x$ $+18$

=

=

=

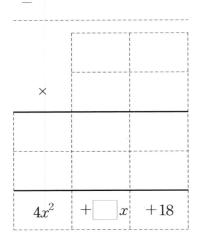

$4x^2$ $+\boxed{}x$ $+18$

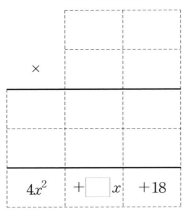

$4x^2$ $+\boxed{}x$ $+18$

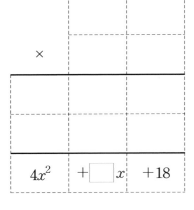

$4x^2$ $+\boxed{}x$ $+18$

=

=

=

인수분해 알아내기!

인수분해 알아내기!

$\times$

$$4x^2 \quad + \boxed{}x \quad +18$$

$=$

$\times$

$$4x^2 \quad + \boxed{}x \quad +18$$

$=$

$\times$

$$4x^2 \quad + \boxed{}x \quad +18$$

$=$

$\times$

$$4x^2 \quad + \boxed{}x \quad +18$$

$=$

$\times$

$$4x^2 \quad + \boxed{}x \quad +18$$

$=$

$\times$

$$4x^2 \quad + \boxed{}x \quad +18$$

$=$

$\times$

$$4x^2 \quad + \boxed{}x \quad +18$$

$=$

$\times$

$$4x^2 \quad + \boxed{}x \quad +18$$

$=$

$\times$

$$4x^2 \quad + \boxed{}x \quad +18$$

$=$

학습지 활용법

- 질문1 : 먼저 이차식을 인수분해 할 때, 이차식의 상수항과 인수분해된 두 일차식의 관계를 살펴보기 위한 질문입니다. 이 경우 가짓수가 무수히 많으니 가볍기 인수분해 학습에 사용할 세로셈 상자에 친숙해지는 계기로 삼으시면 충분합니다.
- 질문3 : 이제 두 일차식을 곱하여 상수항과 2차 항의 계수를 맞춰보는 시간입니다. 개인적으로 인수분해할 때 이 부분이 가장 중요하다고 생각합니다. 이런 경우의 수를 모두 살펴볼 수 있다면 인수분해의 원리를 이해하는 데 도움이 될 것입니다.
- 개인 활동과 모둠 활동을 혼합해서 사용하길 바라며 학습지는 구성되었습니다. 개인별로 찾아보고 모둠에서는 하나도 빠짐없이 찾아보도록 합니다.

수업 성찰 일지 작성

- 수업 후 좋았던 점, 아쉬운 점, 개선하고 싶은 점 등을 기록해보세요.

인수분해로 이차방정식 해 구하기

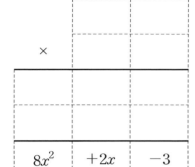

$8x^2 + 2x - 3 =$

$8x^2 + 2x - 3 = 0$
의 해 :

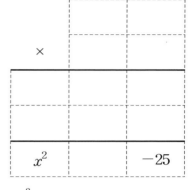

$x^2 - 4x + 4 =$

$x^2 - 4x + 4 = 0$
의 해 :

$\times$		
x^2		-25

$x^2 - 25 =$

$x^2 - 25 = 0$
의 해 :

$4x^2 - 3x - 1 =$

$4x^2 - 3x - 1 = 0$
의 해 :

$\times$		
x^2	$-4x$	

$x^2 - 4x =$

$x^2 - 4x = 0$
의 해 :

$\times$		
$4x^2$		-9

$4x^2 - 9 =$

$4x^2 - 9 = 0$
의 해 :

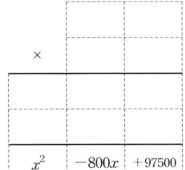

$x^2 - 800x + 97500 =$

$-x^2 + 800x - 97500 = 0$
의 해 :

$-x^2 + 800x - 97500 = 50000$
의 해 :

$\times$		
x^2		-5

$x^2 - 5 =$

$x^2 - 5 = 0$
의 해 :

- 원리를 파악했으니 이제 인수분해를 직접 진행합니다. 유형화하여 지도하기보다 다양한 형태가 섞여 있는 것이 오히려 원리를 이해하는 데 도움이 되며, 특히 $x^2 - 25 =$ 이런 경우의 인수분해를 세로셈으로 계산하면서 그 원리를 정확히 이해할 수 있을 것입니다.
- 7번째 문제에 지우의 붕어빵 방정식을 가져왔으며, 8번째 문제에는 수익이 5만원이 되는 붕어빵의 가격은 얼마인지 생각해보게 하는 발문을 통해 도입합니다. 그래서 50000을 이항하여 식을 정리한 후 인수분해를 해 볼 수 있도록 합니다. 아마 학생들은 인수분해를 하기 위해 소인수분해를 이용하기도 하고, 여러 숫자들을 찾아보기 시작할 것입니다. 하지만 이는 인수분해 되지 않습니다. 그럼에도 인수분해 되지 않는 식을 붙들고 충분히 인수분해 하기 위해 시도하는 시간을 꼭 부여해 보시면 좋겠습니다. 그리고 인수분해가 되지 않는 또 다른 문제인 $x^2 - 5$를 만나게 되어야 합니다. 그래야 인수분해 되지 않는 식에 대한 새로운 해법에 대한 힌트를 잘 인식할 수 있게 됩니다.
- 8번의 실제 해는 $x = -50(8 \pm \sqrt{5})$ 입니다. 이러한 계산에는 울프람알파 사이트를 이용하시면 편리하게 계산할 수 있습니다.

- 수업 후 좋았던 점, 아쉬운 점, 개선하고 싶은 점 등을 기록해보세요.

3학년 반 번 이름:

이차방정식의 해를 구하기 위한 식의 변환

질문1. 제곱근의 성질을 이용하여 이차방정식 $(x-2)^2=3$ 의 해를 구해보세요.

질문2. 이차방정식 $(x-2)^2=3$을 통해 인수분해가 안되는 이차방정식의 해를 구하는 방법을 아래의 과정을 통해 알아보세요. 화살표의 방향대로 진행하세요.

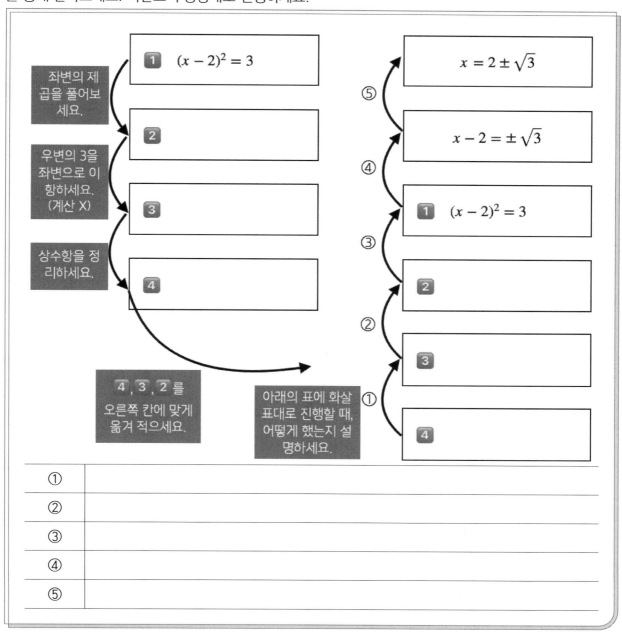

①	
②	
③	
④	
⑤	

이차방정식의 해를 구하기 위한 식의 변환

질문1. 제곱근의 성질을 이용하여 이차방정식 $2(x+1)^2 = 3$ 의 해를 구해보세요.

질문2. 이차방정식 $(x-2)^2 = 3$을 통해 인수분해가 안되는 이차방정식의 해를 구하는 방법을 아래의 과정을 통해 알아보세요. 화살표의 방향대로 진행하세요.

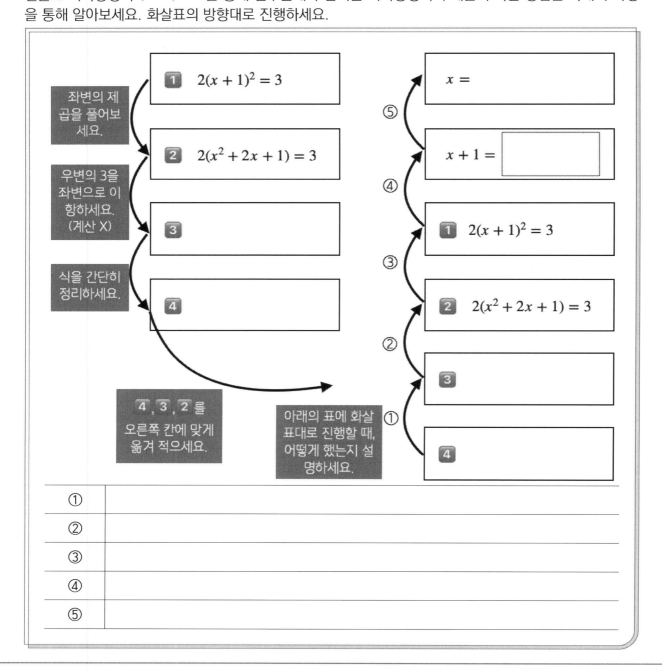

①	
②	
③	
④	
⑤	

- $x^2 - 5 = 0$에서 조금 더 나아가 $2(x+1)^2 = 3$의 해를 구해보는 활동을 진행합니다. 학생들과 상호작용을 통해 해를 충분히 구하게 만들 수 있습니다.
- 인수분해가 되지 않는다면 (완전제곱식)=(상수) 형태로 식을 변형하면 해를 구할 수 있다는 것을 확인했습니다. 식을 변환하는 방법을 찾기 위해 먼저 전개를 해보고 그 과정을 역으로 따라가게 합니다. 과정마다 그 절차를 글로 적게 하여 보다 명확하게 근거를 댈 수 있도록 합니다.
- 다소 내용이 어려울 수 있다고 생각하여 이차항의 계수가 1인 경우와 1이 아닌 경우로 구분하였습니다. 비슷한 흐름으로 반복하면 근의 공식의 유도에도 도움이 되리라 기대합니다.

수업 성찰 일지 작성

- 수업 후 좋았던 점, 아쉬운 점, 개선하고 싶은 점 등을 기록해보세요.

이차방정식의 해를 구하기 위한 식의 변환

질문`. 이차방정식 $ax^2+bx+c=0$의 해를 제곱근의 성질을 이용하여 구해보세요. 단, $a\neq0$입니다.

이차방정식의 근의 공식

이차방정식 $ax^2+bx+c=0(a\neq0)$의 해는 $x=\dfrac{-b\pm\sqrt{b^2-4ac}}{2a}$ (단, $b^2-4ac\geq0$) 이다.

- 2-2-4 활동을 통해 근의 공식을 유도할 수 있을 것으로 기대하지만, 학생들에게 많이 어려울 수 있습니다. 보통 학습의 결과를 학습지에 적어주지 않아야 하지만 근의 공식은 하단에 결과를 미리 공개하였습니다. 결과를 확인하면서 자신의 과정에서 오류를 찾아보는 것도 의미 있는 사고의 흐름이 될 수 있습니다.

수업 성찰 일지 작성

- 수업 후 좋았던 점, 아쉬운 점, 개선하고 싶은 점 등을 기록해보세요.

지우가 5만원을 벌기 위한 붕어빵의 가격 정하기

질문1. 붕어빵 1개의 가격을 x원이라고 할 때, 하루 수익은 $-x^2+800x-97500$원이었습니다. 이제 지우는 5만원을 벌기 위해 붕어빵 1개의 가격을 얼마로 정해야 하는지 구할 수 있게 되었습니다. 제곱근의 성질을 이용한 방법과 근의 공식을 이용한 방법을 각각 사용하여 붕어빵 1개의 가격을 구해보세요.

1) 제곱근의 성질을 이용한 풀이

2) 근의 공식을 활용한 풀이

질문2. 지우는 붕어빵을 팔아 5만원을 벌려면 붕어빵 1개의 가격을 얼마로 정해야 할까요?

· 다시 붕어빵 문제를 해결하며, 시작했을 때의 과제를 상시기킴과 동시에 지금까지 배운 내용을 복습하며, 이차함수로 자연스럽게 연결 짓기 위한 과제입니다. 숫자가 복잡하지만 여유롭게 복잡한 수를 다루어 보는 것은 오히려 그 구조를 파악하는 데 도움이 될 수 있습니다.

수업 성찰 일지 작성

· 수업 후 좋았던 점, 아쉬운 점, 개선하고 싶은 점 등을 기록해보세요.

지우는 얼마를 벌 수 있을까?

질문1. 5만원을 벌기 위해서는 붕어빵 1개의 가격을 약 288원이나 511원이 나왔기 때문에, 붕어빵 1개의 가격을 잘 정한다면 5만원보다 더 많은 수익을 기대할 수 있을 것 같았습니다. 그래서 붕어빵 가격에 따른 수익을 조사하기 시작했습니다. 지우는 $y = -x^2 + 800x - 97500$ 으로 관계식을 세우고 좌표평면에 점을 찍어 나타내보려고 합니다.

붕어빵 1개 가격											
수익											

질문2. 지우는 붕어빵을 팔아 최대의 이익을 얻으려면 붕어빵 1개의 가격을 얼마로 정해야 할까요?

질문3. 질문1에서 그린 그래프는 어떤 특징이 있는지 적어보세요.

- 붕어빵 이익의 최댓값을 생각해보게 하면서 이차함수로 연결짓습니다. 직접 많은 점을 대입해보게 합니다. 계산기를 적극적으로 활용하도록 하여, 계산상의 오류를 줄이고, 대신 어떤 점을 더 추가해야 할지를 생각해보면서 점을 추가하는 것이 좋습니다. 특히 꼭짓점 부근의 값이 자연스럽게 궁금해지도록 유도하며, 꼭짓점 부분의 점에 더 많은 점이 찍힐 수 있도록 하여, 그래프의 모양을 보다 잘 이해할 수 있도록 돕습니다.
- 이차함수의 최댓값은 교육과정상 중요하게 다루지는 않습니다. 하지만 이차함수를 도입하기에 최댓값이나 최솟값을 사용하는 것만큼 자연스러운 것이 없다고 생각하였고, 앞선 과제들과의 연계를 위해 수익의 최댓값을 고려해보도록 구성하였습니다.

- 수업 후 좋았던 점, 아쉬운 점, 개선하고 싶은 점 등을 기록해보세요.

이차함수는 어떻게 생겼을까?

질문1. 다음 세 개의 이차함수를 구글 스프레드시트를 이용하여 함께 점을 찍어가며 이차함수의 그래프의 모양에 대해 살펴보도록 하겠습니다.

$$1)\ y = -x^2 + 5 \qquad 2)\ y = 2x^2 - 4x + 3 \qquad 3)\ y = \frac{1}{2}x^2 + 2x - 1$$

질문2. 지금까지 그린 그래프의 모양을 토대로 이차함수 그래프의 특징을 설명하세요.

질문3. 이차함수의 그래프는 어떻게 그려야 할까요?

질문4. 다음 이차함수를 구글 스프레드시트를 이용하여 함께 점을 찍어가며 이차함수의 그래프의 모양에 대해 살펴보도록 하겠습니다.

$$y = -\frac{1}{5}x^2 + 5x + 2$$

질문5. 이차함수 그래프의 개형을 그리기 위해 우리가 조사해야 할 것은 무엇일까요?

- 준비물 : 구글 스프레드시트 공유 링크
- 구글 스프레드시트 방법 안내 : 한 학생당 1개 혹은 2개의 점은 -10에서 10 범위내에서 계산하여 적을 수 있도록 미리 구글 스프레드시트를 마련해 놓습니다. 그리고 해당 시트를 공유하여 각자 계산한 결과를 표에 입력하게 합니다. 그리고 입력한 영역(x,y 모두)을 선택하고 삽입에 차트를 누른 후 차트의 모양을 분상형 차트로 만들면 다음과 같이 확인할 수 있게 됩니다.

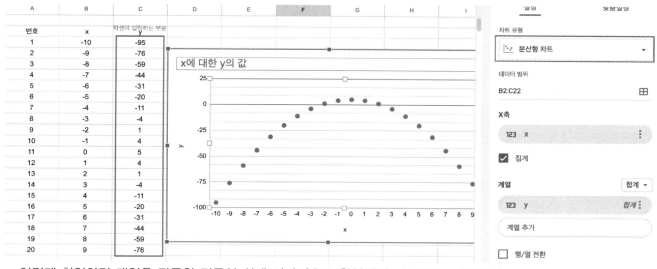

- 이렇게 확인하면 대입을 잘못한 점들이 쉽게 시각적으로 확인되며, 수정하는 과정에서 이차함수의 그래프의 모양에 대해 이해할 수 있게 됩니다. 세 번을 반복적으로 수행하고 이차함수의 특징을 생각해보고, 이차함수의 그래프를 그리기 위해 꼭짓점을 찾는 일, 대칭으로 그리는 것, 폭의 넓이를 잘 결정해야 한다 등 그래프 그리는 방법에 대해 생각해 보게 합니다.
- 그리고 질문4의 그래프를 위와 동일한 방법으로 한 번 더 진행합니다. 하지만 이번 그래 프는 오른쪽과 같은 형태로 그려지며 질문3에서 답했던 대칭성이나 꼭짓점, 폭을 대입을 통해 알기 어렵다는 것을 인식하게 만듭니다. 따라서 식을 통해 폭을 결정하고, 꼭짓점 과 축의 위치를 찾아내는 것이 필요해지게 됩니다.

- 수업 후 좋았던 점, 아쉬운 점, 개선하고 싶은 점 등을 기록해보세요.

이차함수의 폭

질문1.폭은 무엇이 결정할까요? 점을 찍어 그려보았던 아래의 세 이차함수의 그래프를 모양을 유지한 채 꼭짓점을 원점으로 이동시켜 그려보세요.

$y = -x^2 + 5$

1) 이동한 그래프 위의 점 5개 찾기

2) 이동한 그래프의 이차함수식 찾기

$y = 2x^2 - 4x + 3$

1) 이동한 그래프 위의 점 5개 찾기

2) 이동한 그래프의 이차함수식 찾기

$y = \frac{1}{2}x^2 + 2x - 1$

1) 이동한 그래프 위의 점 5개 찾기

2) 이동한 그래프의 이차함수식 찾기

- 교과서의 $y=ax^2$의 그래프를 그리는 단원은 a의 값에 따라 그래프의 폭과 모양이 변한다는 것을 배우게 합니다. 하지만 이는 평행이동이 a값을 변화시키지 않는다는 보장을 학생들에게 하기에는 부족해 보입니다. 따라서 폭을 결정하는 것이 무엇인지 확인하기 위해 앞에서 그려봤던 그래프들을 폭을 그대로 유지한 채 원점으로 이동하여 그리게 합니다. 이 과정에서 자연스럽게 평행이동의 의미를 온전히 학습할 기회가 될 수 있습니다. 이제 옮겨진 그래프를 보고, 옮길 때 사용한 점의 좌표를 살피며, x와 y사이의 관계식을 직접 세워보게 합니다. 세 개의 그래프 모두 평행이동하기 전과 이동 후의 이차항의 계수가 서로 동일함을 확인할 수 있으며, 학생들이 이러한 확신을 가져야 추후 평행이동을 제대로 학습할 수 있게 됩니다.

수업 성찰 일지 작성

- 수업 후 좋았던 점, 아쉬운 점, 개선하고 싶은 점 등을 기록해보세요.

이차함수의 평행이동

질문1. 아래의 이차함수의 그래프를 아래의 숫자만큼 y축 방향으로 평행이동한 그래프를 그려보세요. 모둠원별로 숫자를 하나씩 선택하여 그리세요.

위로 4칸 | 위로 2칸 | 아래로 1칸 | 아래로 3칸

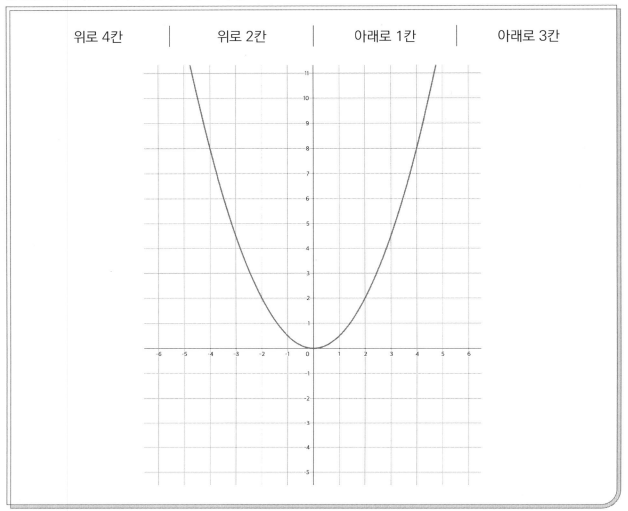

질문2. 기존 그래프와 이동한 그래프를 보고 아래 대응표를 완성해보세요.

x	-4	-3	-2	-1	0	1	2	3	4
기존									
이동									

질문3. 두 이차함수의 식을 찾고, 식과 그래프의 관계에 대해 설명하세요.

- 교과서는 식을 주고 그래프를 그려보고, 평행이동의 관계를 생각합니다. 하지만 평행이동을 하고 식을 찾는 것이 학생들에게 평행이동에 대해 이해시키는데 더 적합한 방법입니다. 직접 한 번 선생님께서 해보시면 그 차이를 더욱 분명히 느끼실 수 있을 겁니다.

- 학생들은 그래프를 평행이동시키고, 대응표를 완성하며, 완성된 대응표를 토대로 평행이동된 그래프의 식을 찾습니다. 자신의 평행이동에 대한 행위가 대응표로 채워지며, 대응표에 대한 해석이 함수식과 연결되는 과정에서 함수의 평행이동을 보다 자연스럽게 배울 수 있을 것입니다.

- 학생들에게 동형의 서로 다른 과제를 주는 것은 자연스러운 협력을 증진시키는 방법이 될 수 있습니다. 친구의 것을 그대로 베끼는 것이 불가능하지만, 방법은 완전히 동일하여 친구의 답안을 보는 행위도 학생의 배움에 도움이 될 수 있으며, 단순히 답을 알려주는 형태의 도움이 불가능하여 실질적인 협력이 이루어질 가능성이 커집니다.

- 수업 후 좋았던 점, 아쉬운 점, 개선하고 싶은 점 등을 기록해보세요.

이차함수의 평행이동

질문1. 아래의 이차함수의 그래프를 아래의 숫자만큼 x축 방향으로 평행이동한 그래프를 그려보세요. 모둠원별로 숫자를 하나씩 선택하여 그리세요.

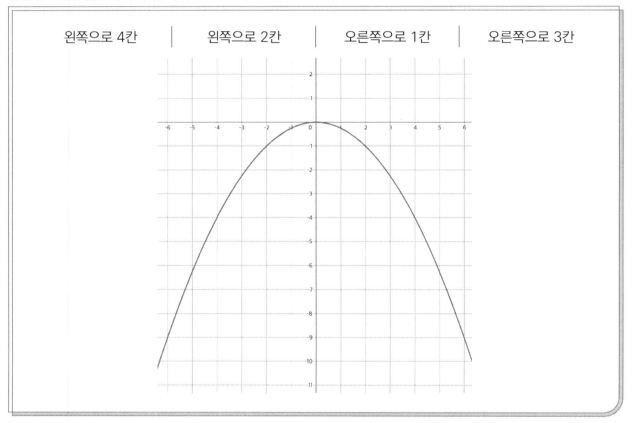

질문2. 기존 그래프와 이동한 그래프를 보고 **y 값이 나오는 x를** 구해 표를 채워보세요.

y	-4	-3	-2	-1	0
기존	,	,	,	,	
이동	,	,	,	,	

질문3. 기존 그래프의 이차함수 식을 찾아보세요.

질문4. 평행이동한 거리에서 기존 그래프와 같은 y값이 나오려면 기존 이차함수의 x에 어떤 수를 넣어야 하나요? 이를 바탕으로 평행이동한 그래프의 이차함수식을 구해보세요.

- x축 방향으로의 평행이동도 먼저 그래프를 이동시키는 일부터 시작합니다. 그리고 이번에는 y를 기준으로 대응표를 채워보도록 합니다. 그리고 기존 이차함수의 식을 제시하지 않았기 때문에 찾아보게 합니다.
- x축 방향으로의 평행이동은 이해하기가 조금 어려운 게 사실입니다. 질문4를 바탕으로 학생들의 생각을 충분히 공유하고, 모든 학생이 스스로 결론 내리지 못하더라도, 오랜 시간 고민하는 시간을 가질 수 있다면, 마지막에 교사가 적절히 정리해준 내용을 들을 때, 그 이해의 정도가 달라질 수 있을 것입니다.

수업 성찰 일지 작성

- 수업 후 좋았던 점, 아쉬운 점, 개선하고 싶은 점 등을 기록해보세요.

이차함수의 평행이동

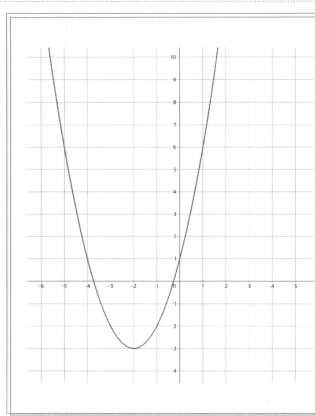

질문1. 왼쪽 이차함수 그래프를 어떻게 평행이동 시켜야 꼭짓점으로 이동하게 되나요?

질문2. 그래프를 평행이동하여 꼭짓점이 원점에 오도록 그래프를 그리고 새로운 그래프 위의 점을 아래의 대응표에 나타내세요.

x	-2	-1	0	1	2
y					

질문3. 대응표를 참고하여 새롭게 그려진 그래프의 식을 구하세요.

질문4. 본인이 그린 그래프를 처음 주어진 그래프로 이동하려면 어떻게 평행이동해야 하는지 서술하세요.

질문5. 처음 주어진 그래프의 식을 구해보세요.

- 일반적인 이차함수를 그려놓았습니다. 그리고 이 그래프를 원점으로 평행이동 시켜 그리게 합니다. 그리고 발견한 이차함수의 식을 찾는 일이 진행됩니다. 이게 그래프의 폭, 즉 a값을 결정하는 작업입니다. a값이 결정되면 다시 원래의 위치로 평행이동한다고 가정하고 식을 세워볼 수 있게 됩니다. 이렇게 스스로 구성해가는 경험이 학생들에게 개념을 습득할 때 중요합니다.

- 수업 후 좋았던 점, 아쉬운 점, 개선하고 싶은 점 등을 기록해보세요.

이차함수 그래프 그리기 정복

질문1. 다음 이차함수의 식 중에서 모둠에서 서로 다르게 하나씩 선택하고 아래의 질문을 해결하세요.

$$y = 2x^2 - 4x + 4 \qquad y = \frac{1}{2}x^2 + 2x + 1 \qquad y = -x^2 + 6x - 12 \qquad y = -\frac{1}{2}x^2 - 2x$$

질문1. 선택한 그래프는 꼭짓점을 원점으로 하는 이차함수 중 어떤 이차함수를 평행이동한 것인가요?

질문2. 평행이동에 대한 정보를 알아내기 위해서는 식을 어떤 형태로 변환해야 할까요? 그리고 그 형태와 그래프의 위치 사이의 관계를 설명하세요.

질문3. 질문2에 답한 형태로 식을 변환해 보세요. 그리고 좌표평면에 평행이동하여 그래프를 그려보세요.

- 이차함수 식이 주어지고, 그래프를 그려야 하는 상황입니다. 이차함수의 그래프는 그래프의 모양과 폭을 결정한 후 평행이동시켜 그려야 합니다. 따라서 먼저 그래프의 모양과 폭을 결정해야 하는데, 아마 이제는 학생들이 쉽게 결정할 수 있을 것입니다. 그리고 평행이동이 드러나게 식을 변환할 필요를 느끼게 만들고, 직접 변환해 볼 수 있는 기회를 제공합니다.

수업 성찰 일지 작성

- 수업 후 좋았던 점, 아쉬운 점, 개선하고 싶은 점 등을 기록해보세요.

3 / 삼각비

※ 수업의 목표와 흐름

1. 삼각비의 도입

2. 삼각비의 정의

3

삼각비의 유용함을 경험시켜라.

삼각비는 실제 활용되는 상황이 다양하고, 실제로 유용한 도구로 사용될 수 있기에 학생들에게 삼각비를 정의하고 사용하는 것은 자연스러우며 당연히 필요한 과정이라는 것을 인식시킬 필요가 있습니다. 하지만 현행 교과서는 단순히 삼각비가 무엇인지를 외우고 문제풀이에 적용하는 것에 초점이 맞추어져 있는 것이 현실입니다.

교과서에서는 쉽게 외울 수 있도록 s, c, t의 모양을 따서 삼각형의 변을 그림으로 이어가도록 안내하기도 하는데, 이는 은연중에 학생들에 삼각비를 잘 외우는 것이 중요하다고 생각하게 만들지 모릅니다. 심지어 수학을 암기과목으로 여기게 만들 수도 있습니다.

삼각비처럼 유용한 도구는 그 유용함을 직접 경험하게 할 필요가 있습니다. 특정 길이나 거리 등을 구하는 여러 문제 상황에서 특정 각에 대한 변의 길이의 비가 미리 계산되어 있으면 편하다는 사실을 학생들이 깨달을 수 있도록 만들고자 합니다. 그리고 직접 이러한 표를 만들어보고, 여기에 사용된 값 들에 의미를 부여하며 삼각비를 정의하게 할 것입니다.

1 수업목표

삼각비가 탄생한 것은 지극히 자연스러운 일이며, 보다 편리하고 유용함을 얻기 위해 개발된 것임을 수업을 통해 학생들이 깨닫게 하는 것이 목표입니다. 그러기 위해 수업은 삼각비를 개발하는 경험을 학생들이 진행할 수 있도록 구성할 것입니다.

2 핵심경험

삼각형의 변의 길이의 비를 기록하는 것이 문제해결의 유용한 도구가 될 수 있음을 인식하는 경험.

3 성취기준 재해석을 통한 학생 경험 찾기

[9수04-17] 삼각비의 뜻을 알고, 간단한 삼각비의 값을 구할 수 있다.
[9수04-18] 삼각비를 활용하여 여러 가지 문제를 해결할 수 있다.
[성취기준재해석] 삼각비의 뜻을 안다는 것은 단순히 직각삼각형의 변의 길이의 비를 사인, 코사인, 탄젠트로 구분한다는 것을 의미하지 않습니다. 삼각비라는 도구가 필요한 이유를 이해하고, 스스로 직각삼각형의 변들 사이의 길이비를 미리 계산해 두어야겠다고 생각하게 되는 것입니다. 삼각비의 존재 이유와 원리를 파악하게 된다면, 사인, 코사인 탄젠트라는 이름을 붙이는 행위는 자연스럽게 여겨질 것이며, 필요한 삼각비를 스스로 선택하고 그 값을 구할 수 있게 될 것입니다. 또한 특수각은 자신이 만든 삼각비의 정밀함을 확인하는 하나의 수단으로 사용될 수도 있을 것입니다.

따라서 삼각비를 활용하는 일은 삼각비의 학습 이후에 나오는 것이 아닌, 삼각비를 도입하기 위한 도구로 사용되어야 합니다. 문제를 해결하는 과정에서 문제해결에 필요한 요소들을 선택하는 상황에 삼각비는 자연스럽게 필요해질 것입니다.

수업에서 필요한 학생 경험
- 주어진 문제 상황을 삼각형의 변의 길이의 비를 통해 해결하며, 변의 길이의 비를 정리할 필요를 느끼고, 유용한 도구가 되도록 정리할 방법을 탐색하는 경험.
- 직접 삼각비의 표를 구성해보는 경험.

수업의 흐름

1. 닮음 직각삼각형을 직접 그려 문제 해결하기
높이를 구하는 두 가지 문제 상황에 대해 직접 자와 각도기를 통해 문제를 해결하기 위한 도형을 그리게 합니다. 여기에는 직각삼각형이 필요하게 되고 자신이 그린 그림에서 문제를 해결하기 위해 필요한 변을 직접 선택하여 길이를 재는 활동을 하게 됩니다. 이는 삼각비에서 직각삼각형이 필요한 조건과 변의 길이비를 미리 정리해 두면 다양한 문제 상황에 활용될 수 있음을 인식하도록 돕습니다.

2. 삼각비 표 만들기
아직 삼각비를 정의하지 않은 채 높이를 쉽게 구하기 위한 표를 제작합니다. 삼각비의 표는 각도에 해당하는 값을 한 변의 길이(빗변 혹은 밑변)에 곱하면 바로 높이를 구할 수 있습니다. 이러한 표를 직접 학생들에게 삼각형을 스스로 그려가며 완성하도록 합니다. 수학자들이 실제 수학적 도구를 개발하는 과정을 체험해 봄으로써 수학의 힘을 느낄 수 있게 되길 바랍니다.

3. 삼각비 정의하기
삼각비 표 제작 과정을 바탕으로 삼각비를 정의합니다. 수학적 개념의 정의는 이처럼 본인들이 어느 정도 발견하고 사용한 이후에 정의되는 것이 바람직하다고 생각합니다. 추가적으로 특수각의 삼각비도 여기서 함께 다룹니다.

4. 단위원을 통한 삼각비 계산
단위원을 이용한 삼각비의 계산은 추후 삼각함수와 이어질 뿐 아니라 각에 따른 삼각비의 변화양상에 대해 살펴보기에 유용한 도구입니다. 이를 통해 0°와 90°의 삼각비의 값도 함께 다룹니다.

에스컬레이터의 높이는?

질문1. 오른쪽 그림과 같은 에스컬레이터에서 시작점과 끝점의 거리는 50m입니다. 지면과 에스컬레이터가 이루는 각도가 40°일 때, 에스컬레이터의 높이는 얼마일까요? 각도기와 자를 이용하여 이 문제를 해결하기 위해 필요한 도형을 그리고, 높이를 구하는 과정을 설명하세요.

필요한 그림 그리기	높이 구하기 및 과정 설명

에스컬레이터의 높이는?

질문1. 오른쪽 그림과 같이 소년이 연을 날리고 있습니다. 연에 연결된 실의 길이는 30m이고, 연이 지면과 이룰 수 있는 각은 최대 40°일 때, 연은 얼마나 높이 올라갈 수 있을까요?

필요한 그림 그리기	높이 구하기 및 과정 설명

- 준비물 : 각도기, 자
- 일반적인 교육과정 순서라면 삼각비 단원의 맨 마지막에 나올 법한 활용 문제로 수업을 시작합니다. 삼각비는 다양한 활용 문제들이 있어 좀 더 학생들이 관심가질 만한 소재를 선택하여 과제를 구성하시면 더욱 좋을 것 같습니다.
- 에스컬레이터와 연의 높이를 구하는 평이한 문제처럼 보이지만 핵심은 문제를 해결하는 방식에 있습니다. 학생들은 자와 각도기를 통해 문제를 해결하기 위해 필요한 도형을 직접 그려야 합니다. 변의 길이를 제각각으로 그리게 될 것이고, 선택한 길이의 장단점에 대해 논의하는 것은 좋은 발문이 될 수 있습니다. 학생들은 각도기 사용이 미숙할 수 있으니 필요하다면 각도기 사용 방법을 설명하고 넘어갈 수도 있습니다.
- 학생들은 자신이 그린 도형에서 실제 높이를 구하기 위해 필요한 길이를 직접 재고 닮음의 성질을 이용하여 높이의 근사값을 구하게 됩니다. 학생들은 주어진 문제를 해결하기 위해 직각삼각형이 필요하고, 직각삼각형 변의 길이비를 아는 것이 문제해결에 도움이 될 것이라는 사실을 깨달을 수 있을 것입니다.(직각삼각형이 필요한 이유를 보다 명확히 드러내고 싶다면, 과제를 예각삼각형이 소재가 되는 것을 택할 수 있습니다. 그리고 이럴 경우의 불편함에 대해 논의하며, 직각을 고정함으로써 얻게 되는 이득을 보다 명확히 알게 되어, 삼각비에 직각삼각형이 필요한 이유를 아는 데 도움이 될 것입니다.)
- 이러한 상황을 일반화하여 해결할 수 있는 방법을 찾기 위한 논의로 이어지도록 수업을 이어 나가시면 됩니다.
- 직접 직각삼각형을 그리다 보면 변의 길이가 소수점을 이용하여 표현하여야 하고, 이를 곱하고 나누는데 의외로 어려워하는 학생들이 많이 있을 수 있습니다. 상황에 따라 잠깐 지도해주거나, 계산기를 함께 제공할 수도 있을 것입니다.

- 수업 후 좋았던 점, 아쉬운 점, 개선하고 싶은 점 등을 기록해보세요.

높이 계산을 위한 표 만들기

질문1. 각도와 한 변의 길이가 주어진 경우 쉽게 높이를 구할 수 있도록 표를 제작하려고 합니다. 간단히 주어진 한 변의 길이에 표에 제시된 값을 곱하는 것 만으로 높이를 구할 수 있게 표를 제작해보세요.

예를 들어, 지난 시간에 학습한 에스컬레이터 높이 구하는 문제는 밑변의 길이를 알고 있고, 각도가 40° 이므로 아래의 표의 0.84를 50m에 곱하여 42m라고 손쉽게 답을 구할 수 있게 만드는 것입니다.

각도	밑변을 알 때	빗변을 알 때	각도	밑변을 알 때	빗변을 알 때	각도	밑변을 알 때	빗변을 알 때
10°			20°			30°		
40°	0.84	0.64	45°			50°		
60°			70°			80°		

- 준비물 : 각도기, 자
- 삼각비의 표의 일부를 직접 제작해보는 활동입니다. 이 활동은 학생들에게 다소 번거롭게 느껴질 수 있으나 직접 도구를 개발해 봄으로써 삼각비의 존재 이유에 대해 확실히 알 수 있으리라 기대됩니다.
- 편의상 계산은 소수점 둘째 자리까지만 계산하게 합니다.
- 8개의 각도가 비어 있어 4인 1모둠인 경우 2개씩 맡아 계산할 수 있습니다. 이처럼 모둠 과제를 원리는 동일하지만, 수치는 달라 모방할 수 없는 과제를 제시하는 경우 학생들을 보다 협력적으로 참여하게 만들 수 있습니다.
- 실제 값은 아래와 같습니다. 오차가 큰 학생의 경우 어떤 오류가 있는지 점검하실 때 사용하시기 바랍니다.

각도	밑변을 알 때	빗변을 알 때	각도	밑변을 알 때	빗변을 알 때	각도	밑변을 알 때	빗변을 알 때
10°	0.18	0.17	20°	0.36	0.34	30°	0.58	0.5
40°	0.84	0.64	45°	1	0.71	50°	1.19	0.77
60°	1.73	0.90	70°	2.75	0.94	80°	5.67	0.98

- 수업 후 좋았던 점, 아쉬운 점, 개선하고 싶은 점 등을 기록해보세요.

sin, cos, tan

질문1. 오른쪽 그림과 같이 직각삼각형 ABC가 있습니다. 이를 이용하여 다음의 표를 완성하세요.

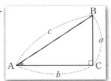

기준각	빗변을 알 때 높이 구하기	빗변을 알 때 밑변 구하기	밑변을 알 때 높이 구하기
각A			
각B			
정의 하기			

특수각의 삼각비

질문1. 아래의 삼각형은 정삼각형과 직각이등변삼각형입니다. 다음 각의 삼각비를 정확한 값을 구해보고, 근삿값도 계산해보세요. $\sqrt{2}$ 는 약 1.41, $\sqrt{3}$ 은 약 1.73입니다.

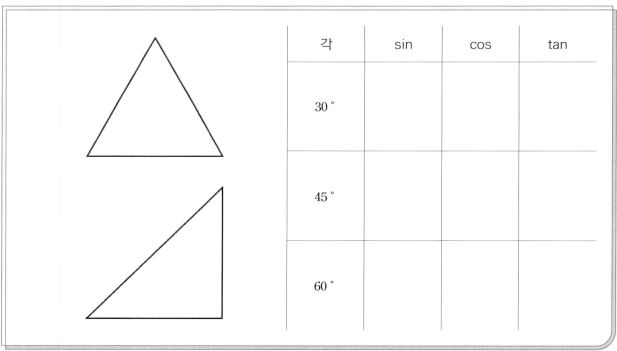

각	sin	cos	tan
30°			
45°			
60°			

- 준비물 : 각도기, 자

sin, cos, tan
- 실제 길이를 가지고 했던 활동을 문자를 이용하여 표현하는 활동입니다. 학생들에게 지난 시간의 활동과 연결 지어 생각할 수 있도록 발문을 합니다. 학생들이 각A와 각B의 칸을 모두 채운 후 이 값 들을 각각 사인, 코사인, 탄젠트로 정의함을 알려줍니다. 이처럼 학생들이 새로운 개념인 삼각비를 스스로 대부분 구성한 후 통용되는 언어만 교사가 알려주어 학생들이 스스로 개념을 발견하고 정의하는 경험을 하게 됩니다.
- 각B의 삼각비는 선행학습의 여부에 따라 학생들의 반응이 차이 날 가능성이 큽니다. 적절한 시점에 개입하여 각B를 기준으로 도형을 바라보는 방법에 대한 지도가 필요할 것입니다.

특수각의 삼각비
- 삼각비의 값을 정확한 길이의 비로 표현해 보는 활동입니다. 지금까지 직접 길이를 나누어 소수로 표현하였기에, 학생들이 혼동하지 않고 표현할 수 있도록 알려주어야 합니다. 이 활동도 선행학습 여부가 학습에 미치는 영향이 클 수 있습니다. 정답에 집중하기보다 그 과정에 대한 설명을 강조하고 서로 협력하여 도움을 주고, 받을 수 있도록 학급 분위기를 만드는 것이 좋겠습니다. 그리고 직접 근삿값을 구해보고 자신들이 만들어 놓은 삼각비의 표와 어느 정도 일치하는지, 오차는 어느 정도인지 확인하며 스스로의 활동을 점검할 수 있도록 합니다.

- 수업 후 좋았던 점, 아쉬운 점, 개선하고 싶은 점 등을 기록해보세요.

삼각비의 표 완성하기

질문1. 삼각비의 표를 완성해두는 것은 매우 유용한 일임을 알았습니다. 이제 1°간격으로 삼각비의 표를 완성하여 모든 사람이 편하게 사용할 수 있도록 자료를 준비하려고 합니다. 90개의 삼각형을 모두 그리는 것은 좋은 방법 같지 않아 보입니다. 유용한 방법을 찾아 방법을 서술하고, 해당 방법으로 실제 삼각비의 값을 구해보세요.

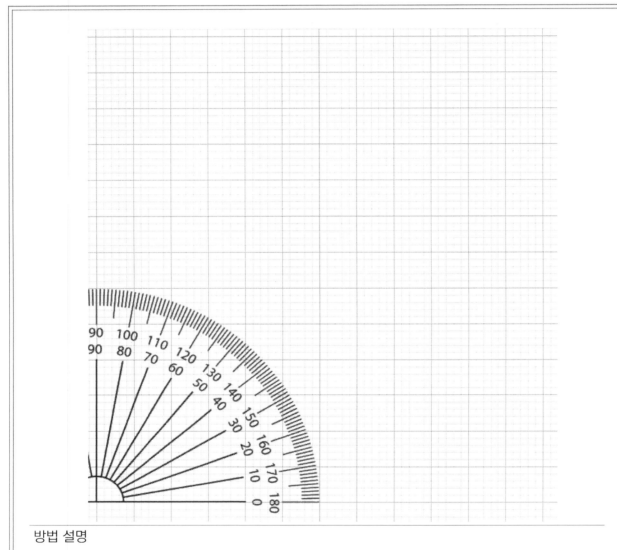

방법 설명

각도	sin	cos	tan	각도	sin	cos	tan
7°				25°			
33°				48°			
0°				90°			

- 준비물 : 각도기, 자
- 단위원을 통해 삼각비의 값을 쉽게 찾을 수 있는 방법에 대해 탐구합니다. 하지만 단위를 제공해주지 않아 학생들은 스스로 적절한 단위를 선택해야 합니다. 원의 반지름을 1로 선택하는 것이 유리하나 10으로 선택하는 경우도 있을 수 있습니다. 학생들의 다양한 상황을 스스로 비교할 기회를 제공해주시기 바랍니다.
- 적절한 직각삼각형을 떠올리는 것이 핵심적으로 학생들이 해야 할 사고입니다. 따라서 학생들의 생각들을 탐구 과정 중에 공유하며 삼각비를 계산할 때 분모의 값을 1로 만드는 것이 중요하겠다는 생각을 할 수 있도록 도와주어야 합니다. 교사가 제시하기보다 학생들의 활동 과정 공유 속에서 자연스럽게 학생들이 생각할 수 있게 되는 것이 중요할 것입니다.
- 최종적으로는 0°와 90°의 삼각비에 대해 예측하는 것도 진행합니다. 학생들 스스로 귀납적으로 추론해 볼 수 있는 기회를 제공하고, 추후에 공학적 도구를 활용하여 삼각비의 값의 변화를 살펴보는 것도 좋습니다. 구글에 '삼각비 지오지브라' 와 같이 검색하시면 다른 사람들이 만든 지오지브라 파일을 쉽게 찾아볼 수 있고 웹에서 바로 사용 가능합니다.

- 수업 후 좋았던 점, 아쉬운 점, 개선하고 싶은 점 등을 기록해보세요.

4 / 원의 성질

※ 수업의 목표와 흐름

1. 사각형의 내접원

2. 사각형의 외접원

3. 원에 내접, 외접하는 사각형

4

삼각형의 내심과 외심의 확장을 원의 성질 탐구

수학은 자연스럽게 사고를 확장시키는 방법을 연습하기에 매우 적합합니다. 원의 성질의 내용들이 언뜻 보기에 연계성이 부족해 보이고, 수학적 사고의 확장보다는 논리적 증명의 경험만을 위한 단원처럼 여겨지기도 합니다. 그래서 수학하는 즐거움을 선사하기 어려워 보이는 단원이었습니다.

이러한 고민 속에서 2학년 때 학습한 삼각형의 내접원과 외접원을 사각형에서 생각해보게 함으로써 원의 성질의 내용을 다뤄 학생들에게 수학적으로 사고를 확장하는 방법을 경험하며 수학의 즐거움을 제공하고자 합니다.

삼각형에서 사각형의 내접원과 외접원에 대한 사고 확장의 과정에 기존 교육과정의 원의 성질이 어떻게 반영될 수 있는지 선생님들도 함께 고민하시면서 자료를 살펴보시길 바랍니다.

1 수업목표

내심과 외심을 삼각형에서 사각형으로 확장하면서 수학적 사고의 확장을 경험시키며 자연스럽게 원의 성질에 대한 개념을 획득하게 하는 것이 목표입니다. 또한 도형의 성질에 대한 논리적 정당화가 충분히 진행되어야 할 학년이라고 판단하며, 발견한 성질에 대한 논리적인 설명 하는 경험을 제공하고자 합니다.

2 핵심경험

• 논리적 정당화의 시작은 성질을 발견하는 일이고, 스스로 발견해야 정당화에 대한 욕구가 생깁니다. 그 발견이 신기하게 여겨질수록 정당화의 필요를 강하게 느끼므로, 발견한 내용에 호기심을 가질 수 있도록 경험을 구성해야 합니다.

3 성취기준 재해석을 통한 학생 경험 찾기

[9수04-19] 원의 현에 관한 성질과 접선에 관한 성질을 이해한다.

[성취기준재해석] 먼저 원의 현에 관한 성질부터 살펴보겠습니다. 현의 수직이등분선이 원의 중심을 지나는 것은 삼각형의 외심의 내용과 연관되고, 원의 중심에서 현에 내린 수선이 현을 수직이등분한다는 사실은 이등변삼각형의 성질과 연관이 있습니다. 사실상 특별히 새로운 내용이 아니며, 이 외에 다루어지는 중심으로부터 같은 거리의 현의 길이가 동일하고, 그 역 또한 성립한다는 성질은 직관적으로 너무나 당연해 보입니다. 따라서 이 성취기준은 개인적으로 판단하기에 내용요소 자체가 중요하다고 보지 않습니다. 따라서 이를 주된 소재로 삼기보다는 수업 과정 중 학생들이 자연스럽게 도구로 사용할 수 있게 만들기를 바랍니다. 접선에 관한 성질은 명확하게 제시하고 있진 않지만, 사각형에 내접하는 원에 대한 탐구가 소단원의 말미에 등장하며, 이는 중학교 2학년의 내접원의 확장처럼 바라볼 수 있고, 이러한 관점으로 이해하고 접근하는 것이 자연스러울 것이라 생각됩니다.

[9수04-20] 원주각의 성질을 이해한다.

[성취기준재해석] 원주각을 증명하는 과정은 학생들에게 새로운 논리 전개 방식입니다. 원주각의 위치에 따라 서로 다른 접근의 정당화 과정에 대해 다뤄볼 필요가 있습니다. 이때, 정당화할 필요를 느끼게 만드는 적절한 소재가 필요한 것으로 생각되고, [9수04-19]의 흐름과 맞추어 삼각형의 외심에서 사각형의 외접원으로 확장하는 과정에서 경험할 수 있도록 수업을 구성하고자 합니다.

원의 접선과 현이 이루는 각에 대해서는 수업의 일관된 흐름을 위해 한 원에 대해 내접사각형과 외접사각형을 동시에 그려봄으로써 접선과 현이 이루는 각의 크기에 대해 탐구할 수 있도록 수업을 구성하고자 합니다.

수업에서 필요한 학생 경험
• 삼각형의 내접원을 사각형으로 확장하여 원에 외접하는 사각형이 가지는 특징을 탐구함으로써 접선의 성질에 대한 자연스럽게 학습하는 경험
• 삼각형의 외접원을 사각형으로 확장하여 원에 내접하는 사각형이 가지는 특징을 탐구함으로써 원주각의 성질을 발견하는 경험
• 한 원에 내접사각형과 외접사각형을 동시에 그려 원의 접선과 현이 이루는 각을 탐구하는 것이 자연스럽게 여겨지는 경험
• 발견한 성질을 정당화하기 위한 학생들의 논리적 사고가 가능해지는 경험

4 수업의 흐름

1. 사각형의 내접원 탐구

 삼각형의 내접원으로부터 시작하여 사각형의 내접원을 탐구하도록 합니다. 이는 항상 가능한 것이 아니기 때문에 반대로 원에 외접하는 사각형을 그려보게 합니다. 자연스럽게 접선을 그리게 되고, 원과 접선의 성질에 대해 배울 수 있게 될 것입니다.

2. 사각형의 외접원 탐구

 삼각형의 외접원으로부터 시작하여 사각형의 외접원을 탐구하도록 합니다. 이는 항상 가능한 것이 아니기 때문에 삼각형의 외접원 위의 한 점을 추가한 경우 외접원이 존재함을 확인하고, 이 경우 각도기를 이용하여 각의 특징을 살펴봅니다. 학생들은 같은 크기의 두 각이 여러 쌍 발견할 수 있습니다. 이를 바탕으로 어떤 경우에 동일한 각을 갖는지 고민하게 하여, 원주각을 정의하게 됩니다.

3. 한 호에 대한 원주각의 크기가 동일함을 증명

 바로 중심각과 비교하며 원주각의 크기가 같음을 증명하지 않습니다. 먼저 두 원주각의 크기가 같음을 정당화합니다. 하지만 위치 관계에 따라 달라질 수 있으므로 다른 위치 관계에 대해 원주각의 크기가 같음을 정당화합니다. 그럼에도 모든 경우를 각각 정당화하기에는 너무 많은 경우가 발생함을 확인합니다. 공학적 도구를 활용하여 원주각의 위치를 변화시킬 때, 변하지 않는 중심각을 확인하게 하고, 중심각을 기준으로 원주각의 크기가 동일함을 증명할 필요가 있음을 인식하도록 합니다.

4. 한 원에 대한 내접사각형과 외접사각형의 탐구

 한 원에 내접사각형과 외접사각형을 동시에 그리게 되면 원의 접선과 현이 이루는 각이 생기게 됩니다. 여기에 내접사각형의 대각선을 그리면 같은 크기의 각을 가지는 원주각도 보이게 됩니다. 하지만 다양한 각도가 존재하여 바로 보이지 않아 탐구의 대상이 되기에 충분합니다. 학생들에게 각에 대해 탐구하도록 하여 자연스럽게 원의 접선과 현이 이루는 각과 원주각의 관계에 대해 파악하고 증명으로 나아갈 수 있도록 합니다.

사각형의 내접원

질문1. 삼각형의 내접원은 항상 그릴 수 있었습니다. 사각형의 내접원도 그릴 수 있을까요? 각자의 생각을 설명해보세요. 필요하다면 그림을 그려보세요.

질문2. 다음 원에 외접하는 사각형을 그려보세요. 사각형과 원이 만나는 접점을 표시하고, 특별한 성질들이 발견된다면 찾아 적어보세요.

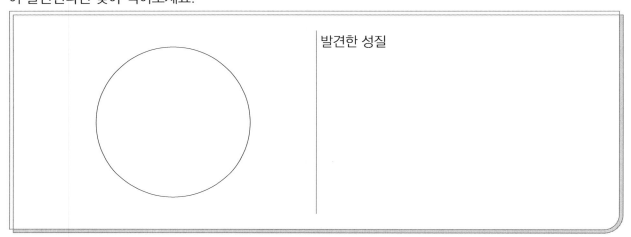

발견한 성질

질문3. 발견한 성질이 참이 되는지 정당화해보세요.

성질	
정당화	

- 준비물 : 다양한 모양의 삼각형 종이, 자
- 먼저 학생들에게 서로 다른(모둠 내에서) 삼각형 모양의 종이를 나누어 줍니다. 2학년 때 배운 내심의 기억을 상기시키며 각의 이등분선을 접어 내심을 찾게 하고, 컴퍼스를 이용하여 내접원을 그려보게 합니다. 모둠 내에 서로 다른 삼각형이었음에도 모두 내접원을 그릴 수 있었음을 확인하게 하기 위한 작업입니다. 이를 바탕으로 학습지를 배부하고 사각형의 내접원에 대해 생각해 볼 수 있도록 합니다. 학생들은 정사각형이나 마름모의 형태를 그리고 내접원을 그릴 수 있다고 이야기할 수도 있습니다. 학생들의 다양한 의견들을 공유하며 스스로 판단할 수 있는 기회를 제공해주시면 좋겠습니다.
- 질문2 : 사각형의 내접원은 항상 존재하진 않지만 반대로 원에 외접하는 사각형을 그리는 것은 가능합니다. 통해 학생들에게 직접 원에 외접하는 사각형을 그려보게 하고, 그 특징을 찾아보게 합니다. 자로 직접 길이를 재어보며 직관적으로 확인하며, 모둠원 모두의 상황에서 성립하는 성질을 찾으라고 요구하며, 서로 소통하도록 돕습니다. 접점을 표시하게 하여 의도적으로 접선의 길이가 같다는 성질을 찾을 수 있도록 하였습니다. 추가로 그린 그림에 필요한 문자들을 함께 적으며, 정당화에 필요한 요소들에 대해 이야기해보고, 동일하게 명명하여 공유할 때 혼동이 발생하지 않도록 할 수 있습니다.
- 학생들은 여러 성질들을 발견하고 작성할 수도 있습니다. 활동3을 통해 수업 중 적절한 두 개의 명제를 선택하여 정당화해보려고 합니다. 예상되는 명제는 '한 꼭짓점에서 접점까지의 거리는 같다.'와 '외접사각형의 두 쌍의 대변의 길이의 합이 같다.' 입니다. 학생들의 수준 및 상황에 따라 다른 명제를 선택해도 좋고 심화로 '두 쌍의 대변의 길이의 합이 같은 사각형은 원에 외접한다.'를 정당화해 볼 수도 있습니다.

- 수업 후 좋았던 점, 아쉬운 점, 개선하고 싶은 점 등을 기록해보세요.

사각형의 외접원

질문1. 다음 삼각형의 외접원을 그려보세요.

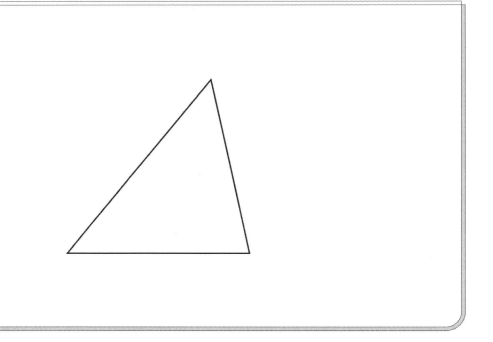

질문2. 사각형의 외접원도 그릴 수 있을까요? 각자의 생각을 설명해보세요.

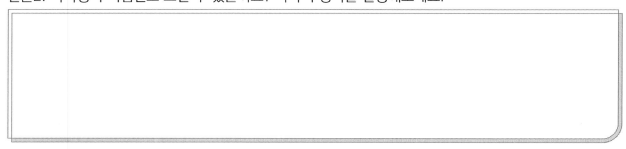

질문3. 질문1의 삼각형의 외부에 한 점을 추가하여 원에 내접하는 사각형을 그려보세요. 그리고 사각형의 대각선을 그린 후 각도기를 이용하여 특별한 성질들을 찾아보세요.

발견한 성질

원주각이란?

- 준비물 : 자, 컴퍼스, 각도기
- 질문1 : 삼각형의 외접원을 그리는 활동을 하면서 교과서의 순서상 빠졌던 현의 성질에 대해 함께 학습할 수 있도록 합니다. 현의 수직이등분선과 원의 중심과의 관계는 자연스럽게 설명이 가능하지만, 현과 중심과의 거리 관계는 자연스럽게 이어지진 않습니다. 하지만 직관적으로 쉽게 이해할 수 있는 부분이니 적절히 언급하며 수업을 진행할 수 있습니다.
- 질문2 : 삼각형의 외접원은 항상 존재하지만, 이번에도 사각형의 외접원은 항상 존재하지 않음을 확인합니다.
- 삼각형을 기준으로 사각형으로 확장한다고 생각한다면 나머지 한 점은 삼각형의 외접원 위에 있어야 함이 자명합니다. 이를 그려놓고 특징을 찾아보게 하되, 그 특징이 각도와 연관되어 있으므로 각도기를 제공합니다. 모두 동일한 위치의 꼭짓점에 A, B, C, D를 적어 공유할 때 의사소통이 원활하게 진행될 수 있도록 합니다.
- 질문3 : 다음의 흐름을 예상하며 제작하였습니다. 이 활동 중 각도기의 측정 오류로 학생들의 학습이 잘 이루어지지 않을 수 있습니다. 지오지브라 등 공학적 도구를 활용하거나 오류를 감안하여 추측할 수 있도록 지도해야 합니다.

    1) 사각형의 각도들을 측정하여 대각의 크기의 합이 180도라는 사실을 발견하고 그 이유에 대해 고민해보는 시간을 갖습니다. 측정 오차로 원에 내접하는 사각형의 대각의 합이 180°가 나오지 않을 수도 있습니다. 이러한 오차를 수업의 방해물로 여기지 말고, 오히려 학생들에게 정당화의 필요를 자극하는 요소로 활용한다면 이후 정당화를 위한 과정에 동기가 유발될 것입니다.

    2) 1)의 이유 탐색을 위해 대각선을 그리고 작은 각도들을 측정해 보게 합니다. 이때, 학생들은 서로 다른 사각형을 그렸음에도 같은 각을 가지고 있다는 사실을 발견하게 됩니다(기존 삼각형 변에 대한 원주각의 크기가 동일합니다.). 이 과정이 학생들이 원주각에 대한 호기심을 유발시키는 중요한 부분입니다.

    3) 모든 학생들이 같은 각의 크기가 왜 같은지에 대해 이야기하며 원주각을 정의합니다. 학생들은 동일한 크기의 각의 기준을 현이나 호에 두지 못할 수 있어 적절한 발문을 통해 원주각의 성질을 탐구할 수 있게 해야 합니다. 예를 들어, 추가로 같은 각을 그리려면 어떻게 해야 할까? 와 같은 질문으로 원주각의 성질을 스스로 발견할 수 있도록 도와주어야 합니다.

- 본 차시의 목표는 학생들에게 원주각의 크기가 같다는 것이 신기하게 여겨지게 만드는 일임을 잊지 말고, 그 감정이 후속 수업에서 정당화의 필요성으로 이어질 수 있도록 지도 바랍니다.

- 수업 후 좋았던 점, 아쉬운 점, 개선하고 싶은 점 등을 기록해보세요.

한 호에 대한 원주각의 크기는 왜 같을까?

질문1. 호AB에 대한 원주각(○, ▲)이 같음을 설명하여 보세요. 점선은 원의 중심과 꼭짓점을 이은 선으로 반지름입니다.

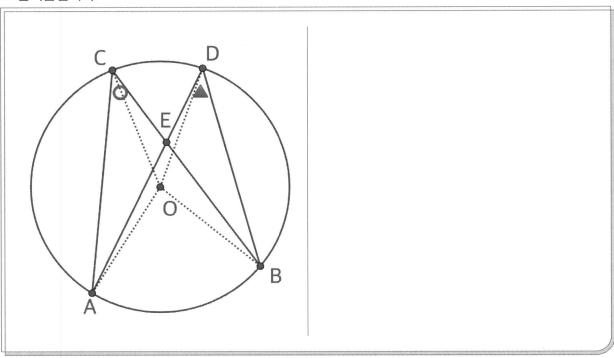

질문2. 위 과정으로 한 호에 대한 원주각은 항상 같다고 말할 수 있나요?

질문3. 추가로 필요한 정당화 과정을 진행해보세요.

- 원주각의 크기가 같음을 정당화해보고자 합니다. 앞선 활동을 통해 자연스러운 정당화는 중심각과의 비교가 아닌 한 호에 대한 서로 다른 두 원주각의 크기 비교라고 생각합니다. 학생들은 같은 각을 같은 모양으로 나타내며 추론하는 것은 꽤 즐겁게 할 수 있습니다. 그리고 여러 형태로 정당화할 가능성도 생길 수 있습니다. 각CED를 삼각형 ACE와 삼각형BDE의 외각으로 찾아 나가면 ○, ▲가 같다는 결론에 도달할 수 있습니다.
- 삽입된 그림은 https://www.geogebra.org/calculator/yyzwpr4b 에서 확인하실 수 있습니다.
- 교과서에서도 경우를 나누어 증명하듯 점 D의 위치에 따라 동일한 정당화의 과정이 적용되지 않습니다. 물론 비슷하기에 경우를 나누어 준다면 학생들은 충분히 해낼 수 있을 것입니다. 직관적으로 이해되기 어려우므로 위의 지오지브라 링크에서 점 D를 오른쪽으로 움직여가며 동일한 방식이 적용될 수 없어 추가적인 정당화가 필요함을 이야기해 줄 필요가 있어 보입니다.
- 그럼에도 이 증명은 완전하지 못합니다. 원의 중심이 호 AB와 원주각 ACB로 둘러싸인 도형 안에 존재하는지 여부에 따라서, 점 D가 점 C의 왼쪽에 있는 상황 등 해결해야 할 가짓수가 많습니다. 이러한 문제를 해결하기 위한 방법에 대한 논의를 추가로 진행할 필요가 있습니다. 이때, 점 C와 점 D를 원 위에서 자유롭게 움직이더라도 중심각이 변하지 않음을 확인할 수 있게 될 것입니다. 이는 교과서의 증명 방식의 장점을 이해하게 될 것입니다. 이를 바탕으로 교과서의 증명 방식에 대해서 수업하거나, 추가로 활동지를 제작하여 증명하게 할 수도 있습니다.

- 수업 후 좋았던 점, 아쉬운 점, 개선하고 싶은 점 등을 기록해보세요.

한 원에 내접, 외접하는 사각형

질문1. 아래의 그림은 사각형 ABCD가 원 O에 내접하고, 사각형 EFGH가 원 O에 외접하며, 이때 접점이 각각 점 A, B, C, D 입니다. 각의 크기를 중심으로 어떤 특별한 성질이 숨어 있는지 찾아보세요.

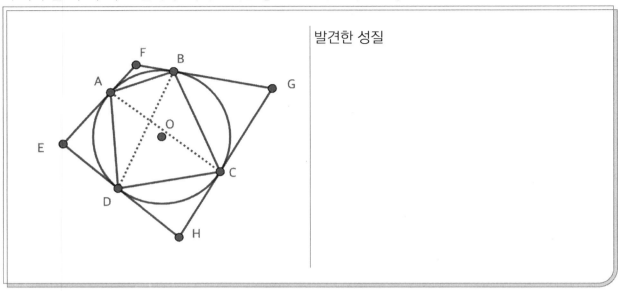

발견한 성질

질문2. 발견한 성질들이 참이 되기 위해 필요한 주장을 그림을 그리고 정당화해 보세요.

그림 표현

정당화

- 준비물 : 각도기, PC 또는 태블릿(직접 지오지브라 조작시)
- 삽입된 그림은 https://www.geogebra.org/calculator/dfcgxxsz 에서 확인하실 수 있습니다.
- 원의 접선과 현이 이루는 관계는 한 원에 대해 내접사각형과 외접사각형을 동시에 그리면 자연스럽게 발견할 수 있습니다. 앞선 수업의 흐름을 유지하면서 새로운 개념을 제시하는 것이 아닌 스스로 발견할 수 있도록 하기 위함입니다.
- 각도기로 직접 재어보면서 특징들을 찾아볼 수 있고, 지오지브라를 조작하고, 직접 지오지브라의 측정 기능을 이용하여 점 A,B,C,D의 위치와 관계없이 동일한 각이 무엇인지 점검해 볼 수도 있습니다. 개인적으로는 두 가지 방법 모두 함께 사용하는 것을 추천합니다. 각도기로 재거나 직관을 이용하여 먼저 같은 각에 대해 추측해보는 활동과 공학도구를 활용하여 사각형의 위치 변화와 무관하게 유지되는 각을 실제 확인해 보는 과정이 함께 진행된다면, 같은 이유에 대해 더욱 신기하고 증명에 대한 욕구가 생길 것으로 기대되기 때문입니다.
- 원주각, 맞꼭지각 등을 비롯하여 같은 각을 많이 찾을 수 있습니다. 또한 각FBD와 각 BCD와 같이 원의 접선과 현이 이루는 각과 원주각이 합쳐져 같은 각을 찾을 수도 있습니다. 이 중 원의 접선과 현이 이루는 관계를 증명의 대상으로 삼을 수 있도록 새로운 요소만을 남기는 과정을 학생들과 대화를 통해서 진행해보시고 증명의 과정으로 넘어가시길 바랍니다.
- 증명을 바로 세 경우로 나누는 것이 떠올리기가 어려울 수 있습니다. 공학적 도구의 활용과 원주각의 증명 과정을 상기시키며 어떻게 나누어야 할지 고민할 시간을 부여해 보시길 바랍니다.

- 수업 후 좋았던 점, 아쉬운 점, 개선하고 싶은 점 등을 기록해보세요.

5 / 통계

5

통계의 한계를 인식하고 효과적으로 활용할 수 있게 하자.

통계는 자료를 효율적으로 파악할 수 있도록 도와줍니다. 하지만 많은 자료를 하나의 숫자로 표현함으로써 필연적으로 자료해석의 한계를 가지게 됩니다. 학생들에게 이러한 한계를 인식하며 효과적으로 통계를 활용할 수 있도록 수업해야 합니다.

대푯값으로 익히 알고 있는 평균의 한계를 보완해야 할 필요를 학생들은 인식해야 하고, 그 결과 중앙값과 산포도의 개념을 발견해 나가야 합니다.

학생들은 실제로 자료를 분석하는 경험이 필요하고, 이러한 경험 속에서 효과적으로 자료를 파악할 수 있는 도구를 개발해야 합니다. 서로 다른 두 자료를 비교하기 위해 학생들은 산점도와 유사한 형태의 시각화를 진행하고, 시각화된 자료의 해석을 통해 상관관계에 대해 이해하게 될 것입니다.

1 수업목표

대푯값과 산포도는 평균의 함정에 빠지지 않는 시각을 학생들에게 길러주기 위한 단원이라고 생각합니다. 모든 자료를 하나씩 파악하는 것은 어렵기에 대푯값을 사용하는 것은 매우 유용하지만, 그로 인해 놓치는 부분들이 발생할 수 있다는 것을 학생들이 알고, 이를 보완하기 위한 장치가 필요하고, 그러한 장치는 어떤 특성을 가져야 할지 스스로 생각하고 정의할 수 있게 되어야 합니다.
상관관계를 파악하고자 하는 것은 자료 분석 상황에서 자연스러운 사고 흐름입니다. 자료가 많은 수록 시각화가 효과적이며, 이러한 필요를 느끼고 그에 맞는 도구를 스스로 제작해보는 경험을 시킨다면 자연스럽게 산점도와 상관관계에 대해 이해하게 될 것입니다.

2 핵심경험

- 편포가 발생하는 상황을 통해 대푯값의 한계를 명확히 인식하는 경험.
- (변수 사이의 관계가 중요한)자료를 시각화할 필요를 느끼고 이를 표현해 보는 경험.

3 성취기준 재해석을 통한 학생 경험 찾기

[9수05-06] 중앙값, 최빈값, 평균의 의미를 이해하고, 이를 구할 수 있다.
[9수05-07] 분산과 표준편차의 의미를 이해하고, 이를 구할 수 있다.
[성취기준재해석] 중앙값, 분산, 표준편차는 모두 평균을 보완하는 개념으로 도입이 필요합니다. 중앙값의 경우는 정적, 부적 편포가 나타나는 경우, 분산과 표준편차는 중앙값, 평균이 같음에도 서로 다른 분포의 상황에서 각각 필요성이 잘 발생합니다. 반면에 최빈값은 이러한 평균의 보완적 측면이 상대적으로 약하고, 비교적 간단한 개념으로 전체적인 흐름은 평균을 보완하는 도구에 대한 접근으로 진행하고, 최빈값은 적절한 시기에 간단히 확인하고 넘어가고자 합니다.

> **수업에서 필요한 학생 경험**
> - 편포가 발생하는 상황을 통해 평균이 가지는 대푯값의 한계를 인식하는 경험
> - 동일 평균, 중앙값을 가지는 서로 다른 모집단이 존재할 수 있음을 인식하여, 이를 구분할 수 있는 도구를 개발해 보는 경험

[9수05-08] 자료를 산점도로 나타내고, 이를 이용하여 상관관계를 말할 수 있다.
[성취기준재해석] 산점도를 찍는 방법을 알려주어 찍게 만드는 것이 아닌 자료를 잘 분석하기 위한 도구로 스스로 산점도의 형태로 시각적 자료를 제작하는 것이 필요합니다. 산점도와 다소 다른 형태가 나타나더라도 자료를 효과적으로 시각화하기 위한 고민과 그 과정이 통계 단원에서는 중요하고, 두 자료 사이의 관계를 파악하고 시각화하는 노력의 과정에서 자연스럽게 상관관계에 대한 이해가 깊어질 것입니다.

> **수업에서 필요한 학생 경험**
> - 자료를 분석하는 과정에서 자료별로 어떤 관계가 있는지 확인해 보기 위해 스스로 적절한 방법을 선택하여 시각화 해보는 경험.

수업의 흐름

1. 대한민국 가구 순자산 자료를 통한 중앙값의 도입

평균이 극단치에 의해 왜곡되어 보일 수 있음을 인식하게 하여 대안(중앙값)을 찾도록 유도하는 수업입니다. 임의로 제작된 자료를 사용하는 것보다 다소 숫자가 복잡하고 자료의 양이 많을지라도 실제 자료를 사용하는 것이 중요하다고 생각합니다. 이러한 경험이 자료를 정리해야 할 필요를 느끼게 하고, 실제 통계 도구의 강점을 알게 하기 때문입니다. 본 자료에서는 통계청의 대한민국 가구의 10분위별 순자산 자료를 가지고 왔습니다. 부적 편포가 강한 자료로 평균이 7분위와 8분위 사이에 존재합니다. 이러한 자료를 해석하면서 평균의 한계점을 인식하고 대안으로 함께 제시할 대푯값에 대해서 고민하게 합니다. 사회 과목과 함께 융합 수업으로 변형하여 진행할 수 있는 가능성도 가진 수업입니다.

2. 평균과 중앙값이 같은 자료 구성을 통한 산포도 도입

급여 상황을 통해 학생들에게 평균과 중앙값은 같지만, 급여 내역은 다른 두 회사의 자료를 직접 구성하게 합니다. 이처럼 일반적으로 학생들에게 제공되던 자료를 반대로 학생들에게 구성해보게 하는 경험은 사고력을 자극하며, 개념에 대한 이해를 깊이 할 수 있습니다. 단순히 산포도의 개념 도입을 위한 과제만이 아닌 평균과 중앙값의 성질에 대해 고민하게 되는 과제가 될 것입니다.

본인들이 구성한 자료를 바탕으로 흩어진 정도를 측정하는 도구를 제작해보게 합니다. 현 교육과정은 분산과 표준편차를 단순히 제공하고 그에 따라 계산을 강요하고 있습니다. 보다 중요한 것은 산포도의 의미와 산포도는 어떻게 만들어져야 하는지에 대해 고민하는 것입니다. 실제로 산포도는 범위, 절대편차 등 보다 학생들이 생각하기에 쉬운 개념들이 있습니다. 학생들이 이러한 생각을 해볼 수 있는 기회를 제공하고, 분산과 표준편차가 만들어지는 과정에 대한 이해가 가능하게끔 수업을 진행합니다.

3. 축구 선수 데이터 분석을 통한 산점도와 상관관계의 도입

다양한 정보가 담긴 대한민국 축구 선수 20명의 데이터가 있습니다. 이 중 각각 두 개의 특성을 선택하여 그 관계에 대해 파악해보도록 합니다. 학생들에게 모둠 활동을 제시할 때는 이처럼 동형이지만 서로 다른 과제가 제시되면 무임승차 없이 협력할 수 있게 됩니다.

학생들은 많은 자료로 인해 자연스럽게 시각화의 필요성을 느끼게 될 것입니다. 두 자료를 비교하기 위한 시각화의 작업을 진행하고, 이는 아마 산점도와 유사한 형태의 자료가 제작될 것으로 예상됩니다. 직접 분석을 위한 도구를 스스로 합리적인 방법으로 진행해 본 후 산점도와 상관관계에 대해 파악하게 된다면 보다 깊이 이해하게 될 것입니다.

대한민국 가구의 평균 자산은?

질문1. 2023년 통계청 자료에 따르면 대한민국 전체 가구의 순자산(자산-부채)의 평균 금액은 4억 3540만원입니다. 만약 대한민국의 전체 가구수가 10가구라면 순자산이 4억 3540만원보다 적은 가구의 수는 몇 가구일까요?

다음 표는 2023년 가구별 순자산을 10개의 구간으로 나누어 각 구간의 평균을 계산해 놓은 자료입니다.

단위 : 만원

1분위	2분위	3분위	4분위	5분위	6분위	7분위	8분위	9분위	10분위
-728	3,005	7,539	13,258	20,018	27,987	38,467	54,692	81,968	189,084
-0.2	0.7	1.7	3.0	4.6	6.4	8.8	12.6	18.8	43.5

질문2. 표의 첫 번째 줄에서 자기 번호의 일의자리 숫자에 해당하는 숫자를 찾고, 그 아래에 있는 숫자만큼(만원) 자기 가족이 재산을 가지고 있을 때, 그 재산은 어떻게 구성되어 있을지 상상해서 적어보세요. 재산은 보유한 모든 자산에서 빚을 뺀 금액입니다.

질문3. 대한민국 평균 순자산은 4억 3540만원이었습니다. 그러나 실제로 이 금액보다 적은 순자산을 가지는 가구는 10가구 중 7가구나 됩니다. 왜 이런 현상이 발생한 것일까요? 이유에 대해 설명해 보세요.

질문4. 평균은 수많은 전체 데이터의 특징을 하나의 숫자로 표현해 주는 장점이 분명히 있습니다. 그러나 때론 평균이 대푯값으로 적절하지 않은 경우도 있습니다. 언제 이러한지, 어떤 해결책이 있을지에 대해 생각해보세요.

- 평균의 한계 극복을 위해 중앙값을 도입하기 위한 수업입니다. 따라서 이 수업에서는 정규분포 형태가 아닌 편포가 나타난 자료가 필요합니다. 개인 소득 자산, 기업 매출 등 개체 간의 상호작용의 결과로 나오는 데이터들은 대체로 정규분포가 성립하지 않고 부적 편포가 나타납니다. 특히 순자산의 경우 오랜 소득 및 소비 활동의 누적치이기 때문에 보다 부적 편포가 뚜렷하게 나타나 통계청의 순자산 데이터를 소재로 삼았습니다.
- 통계청 홈페이지(https://kosis.kr/)에 접속하셔서 '국내 통계 – 소득 소비 자산 – 가계금융복지조사 – 가계금융복지조사(2017년 이후) – 자산 부채 상세 현황 – 순자산 10 분위별 가구 점유율' 자료를 참조하였습니다. 그 밖에 소득 등 다양한 정보가 있으니 참고하셔서 자료를 제작하실 수 있습니다.
- 질문1은 평균에 대해서 흔히 가지는 오개념을 직면하게 만들기 위한 질문입니다. 일반적으로 평균을 중앙값의 성질도 가진다고 생각하는 경향이 있습니다. 학생들이 제시된 표를 눈으로 확인하게 되면 눈치 빠른 학생들은 표를 보고 답할 가능성이 있습니다. 질문을 먼저하고 이런저런 답변을 들을 후에 학습지를 나눠주는 방법도 고려해보시길 바랍니다.
- 표의 두 번째 줄은 각 분위의 사람들의 순자산 평균 금액이고, 세 번째 줄은 해당 분위의 사람이 전체 자산에 대한 소득 점유율(%)을 나타냅니다. 예를 들어, 순자산 상위 10%의 사람이 전체 순자산의 43.5%를 보유하고 있다는 의미입니다.
- 질문2 : 표의 내용을 이해하기 위한 질문입니다. 간단한 경제적 지식과 적절한 이야기를 통해 각자의 자산들을 비교해 볼 수 있을 듯합니다. 1분위의 경우 '5,000만원짜리 집이 있으나 주택담보대출과 신용대출의 합이 5,728만원이다.' 등과 같이 생각해 볼 수도 있겠습니다. 각자 적어보게 하고 모둠에서 공유하고 전체 발표를 통해 한두 의견 정도 들어볼 수 있을 듯합니다.
- 질문3 : 오늘의 핵심 질문입니다. 학생들이 충분히 토의할 수 있도록 도와주시고 자연스럽게 질문4.와도 이어질 수 있으니 학생들의 모둠 활동에서의 대화에 집중하여 수업을 어떻게 진행할지 결정하시면 될 것 같습니다.
- 흥미로운 아이디어로 현재 8,9,10분위를 합치면 순자산의 비율이 75% 정도 됩니다. 처음에 교실에 골고루 서 있게 하고, 교실을 반으로 나누어 1)에서 9분위 10분위를 선택한 학생만 반에 남고 나머지 학생들을 반대쪽 반으로 보냅니다. 그리고 많이 있는 쪽의 반을 또 나누어 8분위를 선택한 학생을 제외하고 나머지 반(교실의 1/4)으로 이동하게 합니다. 이러한 활동을 통해 극단적인 수치가 평균에 어떤 영향을 미치는지 몸으로 느껴볼 수 있을 것 같습니다.
- 질문4 : 평균을 보완할 방법에 대해 논의하고, 다양한 의견들을 존중해줍니다. 그리고 중앙값과 유사한 아이디어가 나올 경우 중앙값을 정리하고, 교과서의 간단한 예제들로 중앙값의 뜻을 확인해 볼 수 있습니다. 최빈값은 비교적 간단하므로 교과서의 중앙값을 다루며 함께 다룹니다.
- 통계청에서는 '순자산 중앙값 대비 평균비'라는 값을 함께 제공하고 있으니 통계청 홈페이지에서 나타난 학생들과 동일한 고민의 흔적을 보여주시는 것도 좋겠습니다.

- 수업 후 좋았던 점, 아쉬운 점, 개선하고 싶은 점 등을 기록해보세요.

어떤 직장을 택할까?

질문1. 취직을 준비 중인 나능력씨는 사과와 오성전자에 입사를 희망하고 있습니다. 나능력씨는 능력이 출중하여 두 회사 모두 합격할 가능성이 매우 커 두 회사의 급여가 어떤지 확인해 보았습니다. 하지만 두 회사 모두 홈페이지에서는 자세한 급여 정보에 대해서는 제공하지 않고 평균과 중앙값만을 제공하고 있었습니다. 두 회사의 급여 평균과 중앙값은 모두 5000만원으로 동일했습니다. 그래서 인사 담당자에게 전화를 걸어 신입사원 초봉이 얼마인지 물어보았습니다. 그런데 사과는 4000만원, 오성전자는 2000만원이라고 합니다. 평균과 중앙값이 모두 같은데 왜 이런 차이가 발생했을까요?

질문2. 사과와 오성전자의 총 직원 수가 10명이라고 가정하고, 질문1의 상황이 만족하도록 10명의 급여를 정해보세요.

	신입	사원	사원	주임	대리	과장	차장	부장	부사장	사장
사과										
오성										

질문3. 나능력씨는 평소 남과 비교하는 것은 불행의 지름길이라고 생각하고 살아왔습니다. 하지만 같이 근무하는 공간에서 급여 차이가 너무 많이 나면 어쩔 수 없이 비교하게 될 것 같았습니다. 그런데 이러한 분포는 평균과 중앙값만으로는 알 수 없다는 것을 깨닫고, 흩어져 있는 정도를 파악하기 위한 도구가 필요하다고 생각했습니다. 예를 들어, 이 도구의 이름을 흩어진정도측정값 이라고 부른다면, 사과는 평균 5000만원, 흩어진정도측정값 10이고, 오성전자는 평균 5000만원, 흩어진정도측정값 20 이라면 오성전자의 흩어진정도측정값이 더 크므로 오성전자의 사람들의 급여의 차이가 더 큰 폭으로 분포되어 있음을 알게 되는 것입니다. 어떻게 하면 이러한 도구를 만들 수 있을까요? 자료가 더 많이 흩어져 분포되어 있을수록 더 큰 값을 나오게 만드는 도구를 만들어보세요. 모둠별로 논의하고 여러 가지 아이디어가 나온다면 모두 적어주세요.

- 6-1-1 을 통해 평균을 보완하기 위해 중앙값을 도입하였습니다. 하지만 정규분포의 형태의 자료의 경우 평균과 중앙값은 동일하여, 두 집단을 구별하는 도구로 쓰일 수 없습니다. 그럼에도 서로 다른 집단의 특성을 파악하는 것은 필요하나, 모든 데이터를 점검하는 것은 비효율적입니다. 대푯값처럼 하나의 값으로 추가적인 정보를 제공하는 도구가 필요함을 인식하게 하고, 개발해 볼 수 있도록 돕는 수업입니다.
- 질문1을 통해 평균과 중앙값 전체적인 분포를 설명하진 못한다는 것을 인식하게 합니다. 그리고 실제 어떤 분포를 가지는지를 질문2를 통해 구성해보도록 합니다. 이러한 구성 작업은 평균과 중앙값에 대한 이해가 없이는 어렵습니다. 과제를 수행하면서 숫자를 변형하면서 평균과 중앙값에 대한 이해가 키워질 것이며, 모둠별로 서로 다른 결과를 보며 평균이나 중앙값 등 대푯값의 한계에 대해서 깨달을 수 있는 시간을 부여합니다.
- 질문3 : 대푯값의 한계를 극복하기 위해 흩어진 정도를 측정하는 도구를 개발해 보도록 합니다. 모든 자료를 직접 점검해보는 것이 사실 가장 정확하게 자료를 파악하는 방법입니다. 하지만 비효율적입니다. 자료의 양이 많아질수록 현실적으로 모든 자료를 확인하는 것은 어렵습니다. 이러한 통계의 필요처럼 학생들에게도 대푯값처럼 하나의 숫자로 흩어진 정도를 측정할 수 있는 도구를 개발해달라고 요구해야 합니다. 하지만 새로운 것을 생각해 내는 것은 쉬운 일이 아닙니다. 모둠 활동을 유심히 관찰하며 학생들의 의미 있는 생각들을 공유하면서 학생들의 사고를 촉진시켜 주시기 바랍니다.

수업 성찰 일지 작성

- 수업 후 좋았던 점, 아쉬운 점, 개선하고 싶은 점 등을 기록해보세요.

축구 선수의 능력 사이의 관계가 있을까?

축구광팬인 나사커는 대한민국 선수들의 자료를 분석하고 싶었습니다. 2024년 선수들의 능력을 수치화한 데이터를 다음 표와 같이 얻을 수 있었습니다. 하지만 표로는 개별 선수에 대한 정보는 자세하게 확인할 수 있으나 각 특성별로 어떤 관계를 가지고 있는지는 확인하기 어려웠습니다. 예를 들어, 키가 슈팅이나 패스 능력에 영향을 미치는지, 몸무게가 많이 나가면 수비 능력이 향상되는지 등을 확인하고 싶었습니다.

이름	나이	키	체중	속도	슛	패스	드리블	수비
손흥민	31	183	78	88	87	82	86	43
황의조	31	185	82	78	77	64	74	42
이재성	31	180	70	69	57	75	78	53
황희찬	28	177	77	84	75	70	78	28
장현수	32	183	83	66	28	59	63	77
김민재	27	190	81	77	32	56	61	73
이강인	23	173	68	72	75	75	79	30
기성용	35	189	75	45	69	77	69	63
윤빛가람	34	178	75	72	68	73	69	58
권창훈	30	173	72	71	67	72	77	49
김보경	34	176	72	78	68	71	74	60
김태환	34	177	72	91	57	61	69	64
한교원	34	182	73	89	68	64	72	57
권경원	33	188	81	64	39	61	60	72
강상우	30	176	62	82	64	70	68	65
이청용	35	180	70	70	61	69	76	53
고요한	36	170	65	77	61	68	70	63
홍철	33	177	71	87	49	67	70	64
홍정호	34	186	77	75	47	52	56	69

질문1. 확인하고 싶은 가설은 무엇인가요? 그리고 이를 효과적으로 확인할 수 있는 방법은 무엇일까요?

가설 :

확인 방법:

데이터 시각화

질문2. 선택한 두 데이터의 관계가 드러나도록 시각화하여 표현해 보세요.

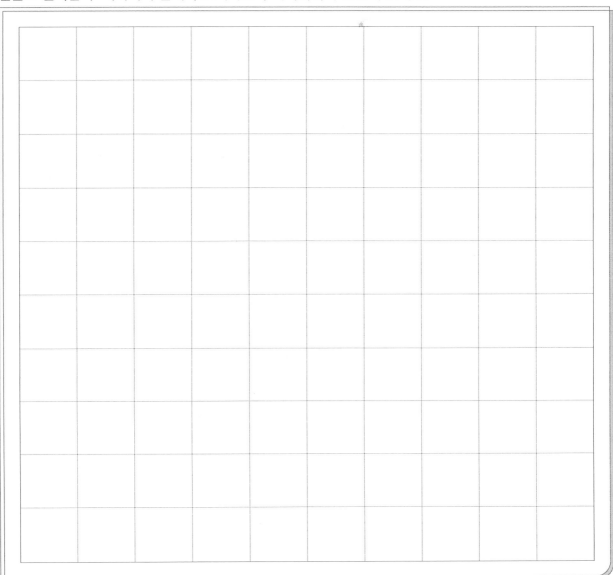

질문3. 자신이 표현한 그래프에 대해 평가하고, 그래프에 근거하여 자료를 해석해보세요.

- 산점도와 상관관계를 수업하는데 핵심은 학생들이 자료의 비교를 위해 시각화하는 작업을 스스로 진행해 보는 데 있다고 생각합니다. 이러한 경험은 자연스럽게 산점도를 그리게하고, 상관관계에 대한 해석을 내리게 만듭니다. 먼저 산점도를 그리는 방법을 알려주지 않고, 자료 비교를 위한 효율적인 시각화 방법에 대해 생각해본다면 학생들은 기대보다 훌륭히 산점도와 상관관계에 대해 학습할 것입니다.
- 자료는 kaggle 에 FIFA 데이터를 바탕으로 제작되었습니다. kaggle은 인공지능을 위한 다양한 데이터가 제공되고 있고, 본 자료와 같은 FIFA 선수 데이터는 매년 업데이트되고 있습니다. 제공된 자료는 전 세계 축구 선수 18,944명의 자료가 있는 빅데이터입니다. 정보를 담고 있는 열(column)의 수도 110개나 됩니다. 이 중 한국 선수 상위 순위 20위까지 해당하는 선수의 몇 가지 특성 정보를 가지고 온 것입니다.
- 이 중 각자 분석하고 싶은 두 가지 특성을 선택하게 합니다. 모둠원이 서로 겹치지 않게 진행할 수 있도록 하면 다양한 자료를 검증해 볼 수 있고, 시각화 작업에서 무임승차를 방지할 수 있습니다.
- 숫자가 많아 학생들은 다소 분석이 어려울 것입니다. 사실 학생들이 어려움을 느껴야 합니다. 불편함이 시각화의 필요성을 일깨워 줄 것이기 때문입니다. 학생들과 결과를 공유하고, 그 과정에서 자연스럽게 시각화의 단계로 넘어갈 수 있도록 수업을 진행하시면 됩니다. 적절히 공학적 도구를 사용하여 더 많은 양의 데이터를 다뤄보는 것도 좋은 방법입니다.
- 가로세로 10칸으로 만들어 두었습니다. 축의 값을 0부터 하기에는 적합하지 않을 수 있습니다. 하지만 이러한 시도는 필요합니다. 시각화가 잘되도록 축을 선정하는 일도 통계 수업에서 중요하게 경험해야 할 일입니다. 학습지를 충분히 여유 있게 출력하시어 학생들이 더 나은 시각화를 위해 수정할 수 있는 기회를 제공해 주시기 바랍니다.
- 학생들의 자료를 공유하며 산점도에 대해 정리합니다. 따라서 교사는 수업 중 학생들의 활동을 관찰하며 공유할만한 그림들을 미리 선정해 놓습니다. 적절한 공유 순서로 산점도 학습에서 빠진 부분이 없도록 준비합니다.
- 자료를 해석하며 상관관계에 대해 설명하고 다양한 학생들의 자료를 비교하며 상관관계를 서로 비교합니다. 학생들의 자료는 A4에 작성되어 공유가 어려울 수 있으니 미리 교사가 학생들과 동일한 데이터로 산점도를 그린 것을 PC 화면 또는 크게 출력해서 준비해 놓으면 수업 운영에 도움이 될 수 있습니다.

수업 성찰 일지 작성

- 수업 후 좋았던 점, 아쉬운 점, 개선하고 싶은 점 등을 기록해보세요.

수학하는 즐거움 중학교 3학년

발 행 | 2024년 02월 13일
저 자 | 박진환
펴낸이 | 한건희
펴낸곳 | 주식회사 부크크
출판사등록 | 2014.07.15.(제2014-16호)
주 소 | 서울특별시 금천구 가산디지털1로 119 SK트윈타워 A동 305호
전 화 | 1670-8316
이메일 | info@bookk.co.kr

ISBN | 979-11-410-7119-6